Zur Einführung

Die Deutschlandpolitik der Bundes[...] [un]trennbar verknüpft mit der Entstehung dieses Staates — mit den damaligen Gegebenheiten und den Absichten der Organisatoren. Entscheidungen der westlichen Besatzungsmächte und Wünsche nichtkommunistischer deutscher Politiker trafen zusammen, als 1947/48 vorerst kein Friedensvertrag mit oder für Deutschland zustande gekommen war. Wie in der gesamten Entwicklung seit 1945, waren dabei die Vorstellungen der Siegermächte bestimmend. Wegen des Kalten Krieges nahmen sie es jedoch hin oder unterstützten es sogar, daß Deutsche in Berlin und im Bonner Parlamentarischen Rat Ansprüche erhoben, die nur verwirklicht werden konnten, falls sich das Kräfteverhältnis in Europa und damit die Beziehungen der Großmächte zueinander wesentlich verändert haben würden. Die Ansprüche hingen mit einschneidenden Maßnahmen aller vier Siegermächte zusammen, ebenso aber auch mit unterschiedlichen Rechtspositionen, Geschichtsbildern und Zielen der deutschen Politiker. In einem Punkt waren sich die Deutschen einig: Über kurz oder lang müßten die Sieger den Deutschen gestatten, nicht nur unter Kontrolle den Willen der Besatzungsmächte auszuführen, sondern auch in wachsendem Maße eigenständig zu entscheiden und zu handeln. Sie hofften, auf diese Weise von Besiegten zu Verbündeten der Sieger zu werden; dann würden diese sie in jeder Hinsicht in ihren Ansprüchen unterstützen.

Die Grundzüge der Entwicklung werden hier zunächst kurz zusammengefaßt. So kann in die verwirrend erscheinende Vielfalt der Faktoren, Probleme, Entwicklungen und Zusammenhänge eingeführt werden. Voraussetzungen und Vorentscheidungen faktischer und ideologischer Art müssen dabei in gleicher Weise berücksichtigt werden. Sie tauchen bei allen Maßnahmen der Verantwortlichen, in den Begründungen und in den parlamentarischen und publizistischen Auseinandersetzungen darüber auf. Kontinuität und Wandel sowohl der „Bonner" Politik als auch der internationalen Entwicklungen und die Zusammenhänge zwischen ihnen werden deutlich. Stichworte, Leitmotive und Denkweisen der Begründungen und Diskussionen führen über das zeitgeschichtliche und gegenwärtig-politische Problem der Deutschland-Politik dieses Staates hinaus und verweisen darauf, wie sehr er im Zusammenhang der gesamten neueren deutschen Geschichte steht — im Gegensatz zu den Absichten

---

* Die Abkürzung BRD wird lediglich dann verwendet, wenn die angegebene Druckvorlage sie enthält.

manches „Paten" auf seiten der Siegermächte und wohl auch zu den Vorstellungen mancher deutscher Mit-Organisatoren.

Ein wesentlicher Sachverhalt muß dabei stets beachtet werden, der auch bei der Auswahl der Quellen zu bedenken war: Alles „in bezug auf Berlin und auf Deutschland als Ganzes einschließlich der Wiedervereinigung Deutschlands und einer friedensvertraglichen Regelung" gehört auch noch über ein Vierteljahrhundert nach dem Ende der Kampfhandlungen zu den alleinigen Rechten und Verantwortlichkeiten der großen Siegermächte des Zweiten Weltkrieges.[1a] In der vorliegenden Sammlung überwiegen für die ersten Phasen entsprechend den tatsächlichen Machtverhältnissen Auszüge aus Debatten im Parlamentarischen Rat, Grundsatzerklärungen, Kommentare und Erinnerungen. Einige Texte waren bisher ungedruckt (20 c bis 20 d).

Die Siegermächte haben sofort beim Ende des Zweiten Weltkrieges wesentliche Teilprobleme der Deutschen Frage je nach ihren eigenen Interessen und entsprechend den Machtverhältnissen faktisch entschieden. Zunächst wurden 1945 wichtige territoriale Fragen (Nord-Ostpreußen, Oder-Neiße-Linie) und die damit beabsichtigten Konsequenzen (Aussiedlung der deutschen Bevölkerung, auch aus den böhmisch-mährischen Randgebieten der ČSR) geregelt. Eine einheitliche Verwaltung des Vier-Zonen-Besatzungsgebiets Rumpfdeutschland unter Mitwirkung Deutscher kam nicht zustande. Denn dagegen — noch dazu vom Sondergebiet der ehemaligen Reichshauptstadt Berlin aus — hat sich die französische Regierung sofort gewehrt. Die Weigerung war erfolgreich, weil das Vetorecht im Alliierten Kontrollrat gegen Maßnahmen für ganz Deutschland ausgenutzt werden konnte — vermutlich durchaus auch im Sinne anderer Regierungen. Wenig später trat die vergangenheitsorientierte, aber nichtsdestoweniger wirksame Haltung der Pariser Regierung hinter der deutlicher werdenden neuen Konstellation der Nachkriegsepoche zurück. Seitdem setzten sich die UdSSR auf der einen Seite und die Westmächte unter Führung der USA auf der anderen Seite im wesentlichen auf dem restlichen Gebiet Deutschlands auseinander. Dieser Kalte Krieg wurde in vielen Bereichen und mit einem reichhaltigen Repertoire an Methoden geführt: in gesellschaftspolitischer wie in wirtschaftlicher, finanzieller, ideologischer, propagandistisch-psychologischer und rüstungspolitischer Hinsicht. Stets ging es dabei

1a Für ihre Maßnahmen und Äußerungen in bezug auf die Deutsche Frage wird verwiesen auf: *D* = „Die Deutsche Frage seit dem Zweiten Weltkrieg" (Klettbuch 42571), für die internationalen Zusammenhänge auf: *W* = „Probleme der Weltpolitik 1945—1962" (Klettbuch 42561; als veränderte Neuauflage 1973 unter dem Titel „Der Kalte Krieg. Weltpolitik 1945—1962" erschienen); im übrigen wird auch verwiesen auf: *P* = „Politische Willensbildung in der Bundesrepublik Deutschland" (Klettbuch 4246).

um die Fragen, welche Großmacht den europäischen Kontinent in ihren Hegemonialbereich einbeziehen und damit den Kalten Krieg für sich entscheiden könne, oder ob Europa aufgeteilt werden würde. *Jede der beiden Seiten des Kalten Krieges formulierte Ansprüche mit universaler Geltung.* Sie ergaben sich aus der jeweiligen politischen Philosophie. Übereinstimmungen der Worte besagten nichts über die grundsätzlichen Bedeutungsunterschiede (Frieden, Freiheit, Selbstbestimmung, Demokratie). Von Anfang an spielte bei dieser Art von Auseinandersetzung die Überlegung eine Rolle, daß der Gegner sich bei der Kriegsbeute in territorialer Hinsicht übernommen habe.

So sei er in eine Zwangslage geraten; konnte sie nicht unter Mithilfe möglichst vieler besiegter Deutscher ausgenutzt werden? Vom „Osten" her gesehen, lauteten folglich die Fragen: *Vermögen* die USA überhaupt über Tausende von Kilometern hinweg auf dem europäischen Kontinent das zusammengebrochene privatkapitalistische Wirtschaftssystem der einzelnen „Nationalstaaten" angesichts der Zerstörungen und des Flüchtlingselends zu restaurieren? Bestand hier nicht eigentlich eine ideale Ausgangslage für die weitere, und zwar „friedliche" Ausbreitung der sozialistischen Revolution marxistisch-leninistischer Prägung? Konnte dabei nicht ebenfalls das schwerindustrielle Zentrum Westeuropas an und um Rhein-Ruhr dem Einflußbereich des amerikanischen Imperialismus entzogen werden? Vom „Westen" her gesehen, lauteten dagegen die Fragen: Konnte die Sowjetunion wegen der unermeßlichen Zerstörungen und Menschenverluste überhaupt jenes strategische Vorfeld behaupten, das sie vor allem in den westslawischen Gebieten und in Deutschland und Österreich besetzt hielt und dessen gesellschaftliche Struktur sie auch zwischen Oder-Neiße und Elbe-Werra völlig umzuwandeln half? Ließ sich nicht der vielerorts deutlich erkennbare Widerstand namhafter gesellschaftlicher Gruppen (größere und kleinere Landbesitzer besonders) und unterschiedlicher Konfessionen und Nationalitäten gegen befürchtete oder drohende Russifizierung und Bolschewisierung ausnutzen? Den Deutschen konnte in diesem Zusammenhang vom „Westen" her der Gedanke nahegebracht werden, daß die Ostgrenze von der Oder-Neiße-Linie wieder ostwärts verlegt werden könne (Byrnes 1946, D 22!), daß sie möglicherweise — Ostpreußen ausgenommen — dort wieder verlaufen könne, wo sie in Pommern und Schlesien bis Ende 1937 existiert hatte. Mit allen Konsequenzen für Vertriebene, Flüchtlinge und Besitzverhältnisse mußte dies eine verlockende Aussicht sein, falls die Deutschen sich gegen „den Kommunismus" entschieden. — Vom „Osten" her wurde demgegenüber das nationale Denken gefördert: Die Deutschen wurden zur Abwehr der wirtschaftlichen und politischen Knechtung durch den internationalen Kapitalismus, zum Kampf gegen die Spaltung, für die Wiedervereinigung und schließlich für das Saargebiet, das an Frankreich kommen sollte, aufgerufen.

Deutsche Politiker konnten in einem der beiden Lager der entzweiten Sieger mitarbeiten. Nach mehr oder weniger langem Zögern haben sie die Möglichkeiten auch ergriffen. Zunächst freilich haben sie wenig zu entscheiden gehabt. Allerdings sollte man ihren Einfluß im Anfang auch nicht völlig unterschätzen. Sicherlich waren bis 1949 wichtige Überlegungen und Entschlüsse der deutschen Parteiführungen und Verwaltungsorgane in allen Zonen nicht ohne oder gar gegen den Willen der Besatzungsmächte denkbar, und jede Besatzungsmacht hat offenbar in ihrem Machtbereich eine der neugegründeten politischen Parteien mehr oder weniger anderen Gruppierungen vorgezogen; das gilt nicht nur für KPD/SED der SBZ. Aber was konnte und mußte es bedeuten, wenn sich viele in den Westzonen mit dem Gedanken abfanden, für einige Zeit müßten die nicht-kommunistischen Landsleute in der SBZ mit sowjetrussischen und deutschen Kommunisten selber fertig werden, damit in den anderen Zonen „Wiederaufbau" und Neuorientierung ungestört vor sich gehen könnten (Adenauer 1945, D 20)? Was besagte es, daß CDU und CSU Anfang 1947 entschieden, auch nicht im britischen Sektor Berlins ihre Bundesgeschäftsstelle zu eröffnen (2)? Was bewirkte die Weigerung Kurt Schumachers, 1947 eine „Nationale Repräsentanz" *aller* deutschen Parteien einschließlich der SED gegenüber den Forderungen der Siegermächte zustande zu bringen, solange in der SBZ seit Gründung der SED keine SPD neu organisiert werden konnte? Auf diesen Punkt hat Konrad Adenauer in seinen „Erinnerungen 1945—1953" (Kapitel 11) wohl mit einigem Recht hingewiesen. Schließlich zeigte es sich gerade in der besonderen Situation Berlins schon im Juni 1948 vor den Währungsreformen, daß die meisten deutschen Politiker sich entweder für das Programm der Westmächte oder für das der UdSSR entschieden hatten. Die Bildung eines föderativ geprägten „Weststaates" oder einer „Deutschen Demokratischen Republik" stellten dann die entscheidenden Ansatzpunkte für ihre eigenständigeren Bemühungen dar.

In den Westzonen und -sektoren wurde bei der Behandlung von zwei Problemen offenbar, wie die Deutschen sich trotz der augenblicklichen tatsächlichen Machtlosigkeit wehren wollten: Sowohl in der Berlin-Frage als auch beim Namen des neuen Bundesstaates wurden Rechtspositionen und Ansprüche proklamiert. So sollte verhindert werden, daß die Neugründung als separatistisches West-Protektorat bekämpft werden konnte. Auch sollte für den Augenblick einer erhofften Machtverlagerung zugunsten der Westmächte das Wollen der Nichtkommunisten bekannt sein und die Unterstützung der Westmächte haben. Auf diese Weise versuchte man, die Uneinigkeit der Siegermächte auszunutzen, um wesentliche Entscheidungen einer Siegermacht rückgängig zu machen.

Angesichts der politischen Wandlungen zwischen den Machtblöcken und in Deutschland seit Anfang der 60er Jahre ergeben sich *zwei Gruppen von Fragen. Erstens* ist auf dem Hintergrund der Ausgangslage 1948/49 und von dort her zu fragen: Haben die Verantwortlichen der USA, Großbritanniens und Frankreichs die gesamtdeutschen Absichtserklärungen begrüßt und bei der Festlegung der eigenen Ziele übernommen? Falls das zunächst nicht oder nur teilweise geschehen sein sollte, die Westmächte aber zugleich auf Territorium, Bevölkerung, Wirtschafts- und nicht zuletzt Militärpotential Westdeutschlands angewiesen waren — gab es dann für westdeutsche Politiker Möglichkeiten, die Ansprüche schrittweise von denen mittragen und übernehmen zu lassen, die von Besatzungs- zu Schutzmächten und Verbündeten werden sollten und es im Laufe der Jahrzehnte ja auch nach Ausweis entsprechender Vereinbarungen geworden sind? Welche politischen Waffen boten sich an, um die Ziele und die Mithilfe zu gewinnen? Welche amtlichen Möglichkeiten ließen sich gegenüber der Bevölkerung „im Westen" und außerhalb ausnutzen, um dort die Ansprüche zu verankern und wirkungsvoll zu verbreiten?

Zweitens ist von der Lage seit Beginn der 70er Jahre her zu fragen: Warum haben die nun in Bonn verantwortlichen Politiker bestimmte Ansprüche zurückgestellt? Warum waren sie statt dessen bei ihren Entscheidungen von jener Lage auszugehen bereit, die seit 1948/49 in Deutschland bestand und die sich im Laufe zweier Jahrzehnte immer mehr verfestigt hatte? Hatten sich die gewählten Waffen als unbrauchbar erwiesen? Traf das vielleicht nicht nur gegenüber „dem Osten" zu, sondern auch bei den eigenen Verbündeten? Gar bei der Bevölkerung „im Westen"? Hatten sich Grundvoraussetzungen der gewählten Strategie in der Deutschland- und Ostpolitik entscheidend gewandelt? Waren sie möglicherweise bereits im Augenblick des Konzipierens unzutreffend gewesen?

Bei jeder Fragenreihe erweist es sich, daß ein allgemeines Problem bedacht werden muß. Das gilt unabhängig von der jeweiligen Situation sowohl für 1948/49 als auch für 1969/71. Es handelt sich um das Bemühen, das, was jeweils als *politisch-gesellschaftliche Realität* betrachtet wurde, möglichst treffend zu erfassen, entweder um sich damit abzufinden oder aber um es zu verändern. Hier mußte grundsätzlich entschieden und Stellung bezogen werden. Dabei mußte deutlich werden, wie sich Politik und Ethik zueinander verhielten und wie die Spannung von Macht und Recht bewältigt werden sollte. Ein derartiger Zug zur Besinnung, zum Prinzipiellen und zum Bekennen war nach dem Ende der nationalsozialistischen Herrschaft verständlich. Ebenso lag er nahe, sobald gerade und nur von Rechtspositionen her Ansprüche formuliert wurden, nicht aber aufgrund einsetzbarer Macht — sie war ja auch gar nicht vorhanden. Deshalb ist 1948/49 im Parlamentarischen Rat so vorgegangen worden. So wurden wichtige Teile und Kennzeichen des Bonner „Grundgesetzes für die Bundesrepublik Deutschland" geprägt: die Ansprüche auf „Groß-Berlin", auf Alleinvertretung aller Deutschen und auf den Anschluß „anderer Teile Deutschlands" (Präambel, Art. 23 BGG). Als Hauptnenner bot sich der Staatsname an.

Während eines langjährigen Prozesses wurde die Bundesrepublik seit 1949 wegen ihrer schrittweisen Westintegration in vielen — aber nicht allen! — Bereichen aus der Vormundschaft der westlichen Besatzungsmächte entlassen. Dabei hat sie eine eigene wirtschaftliche und politische, ab 1956 auch militärische Bedeutung gewonnen. Gleichzeitig veränderte sich aber auch die allgemeine Situation des Kalten Krieges zwischen den Supermächten USA und UdSSR und ihren Hegemonialbereichen, also jene Spannungslage, in der die Bundesrepublik und etwas später die DDR gebildet worden sind. Parallel zu dieser weltpolitischen Wandlung wurde die Spaltung zwischen den beiden Teilen Rumpfdeutschlands nicht beseitigt, sondern vertieft. Besonders bei politischen Aktionen des Gegners (etwa 13. August 1961 „Mauer") wurde darüber bei uns diskutiert. Auch in den Auseinandersetzungen vor den Bundestagswahlen spielten diese Überlegungen eine wichtige Rolle. Das traf 1960/61, also schon *vor* dem Bau der Berliner Mauer (DP 45 bis 47), genauso zu wie 1965 (53). Blieb angesichts der immer größer werdenden Kluft zwischen Wiedervereinigungsanspruch im BGG und der politischen Wirklichkeit nur übrig, die „normative Kraft des Faktischen" zur Kenntnis zu nehmen, „die bewußtseinsbildende Macht der Tatsachen" (Karl-Hermann Flach, 1966)? Mußten dann Illusionen und Tabus aufgegeben werden?

Strategie und Taktik der Bonner Deutschland-Politik wurden nicht nur von grundsätzlichen Positionen und den eigenen wachsenden Kräften und Möglichkeiten bestimmt, sondern ebenso davon, wie die Verantwortlichen Haltung und Absichten der atomar gerüsteten Großmächte beurteilten. Wer sich als Nichtkommunist von der Politik der UdSSR ein Bild machte, indem er Zitate aus Schriften marxistisch-leninistischer „Klassiker" und aus der innerparteilichen Agitation zusammenstellte, konnte wohl kaum am Willen „Moskaus" zweifeln, im Kampf gegen den als kriegslüstern verschrieenen Imperialismus die Welt für Frieden und Sozialismus zu befreien. Dem entsprach es, wenn für ein Urteil über die Politik der USA nur „Freiheit und Demokratie"-Zitate aus feierlichen Proklamationen herangezogen wurden. Für die Deutschland- und Ostpolitik blieb bei derartigen Belegen nur eine Konfrontation mit „Sowjetrußland" denkbar, damit die Versklavten befreit werden könnten. Demgegenüber kam derjenige zu anderen Folgerungen, auch in bezug auf denkbare Unterstützung seitens der Westmächte, der sich bemühte, propagandistische Formeln nicht als feierliche Versprechungen zu bewerten, sondern sie im Zusammenhang mit Situationen, bestimmbaren Machtinteressen und politischen Denktraditionen der einzelnen Mächte zu sehen und außerdem Tun und Lassen der einzelnen Regierungen zu beachten, also Worte und tatsächliches Verhalten miteinander zu vergleichen.

1949 haben Vertreter des harten Kurses gegenüber „dem Osten" die Regierungsverantwortung in Bonn übernommen — in diesem Punkt unterstützte sie die damalige Opposition der SPD. 20 Jahre hindurch konnten CDU/CSU auch die Deutschlandpolitik entscheidend prägen, jahrelang zusammen mit der FDP. Welche Faktoren diskutierten während dieser Zeit das wachsende und immer deutlicher werdende Mißverhältnis zwischen gesamtdeutschen Ansprüchen und ihrer Realisierbarkeit? Zuerst geschah dies in der kritischen Öffentlichkeit, dann auch in der oppositionellen SPD, die dazu noch in West-Berlin den entscheidenden politischen Faktor darstellte, sowie in mehreren Ansätzen in der FDP (Schollwer-Studie von 1966; vgl. O. K. Flechtheim, Dokumente zur parteipolitischen Entwicklung in Deutschland seit 1945, Bd. VI, Nr. 641, Berlin 1968, S. 348 ff.). Die Ostdenkschrift der EKD vom Herbst 1965 hat stark gewirkt. Ende 1966 trat die SPD in die Regierung der „Großen Koalition" unter Führung der CDU/CSU ein. Was war angesichts wesentlich veränderter Umstände und bei einem Versuch zu nüchterner Beurteilung von Lage und Faktoren zu tun, wenn das nationale Ziel der Wiedervereinigung jetzt endlich noch erreicht werden sollte? Genügte ein Kurswechsel weg von der Konfrontation, bei dem aber die DDR und die derzeitige Führung der SED im Sozialistischen Lager isoliert würden? Falls man sich darum bemühte, eine derartige Politik zu verwirklichen, setzte man „in Bonn" etwas Wesentliches voraus: daß die DDR — im Unterschied zur Bundesrepublik — innerhalb des Blocksystems, zu dem sie gehörte, im Laufe der Jahre kein eigenes Gewicht zu erringen vermocht hatte. Ebenso wurde angenommen, daß „der Osten" sie in wirtschaftlicher und strategischer Hinsicht nicht benötige, sondern daß sie ihm viel-

mehr schade und folglich „freigekauft" werden könne. Eine solche Konzeption hatten bereits Adenauer und Erhard als Bundeskanzler erkennen lassen. Jetzt schien sie unter Bundeskanzler Kiesinger und den sozialdemokratischen Bundesministern für Auswärtiges, Willy Brandt, sowie für gesamtdeutsche Fragen, Herbert Wehner, tatkräftiger verfolgt zu werden. Die UdSSR hat offenbar mit der Intervention der fünf Mächte des Warschauer Paktes in der ČSSR im August 1968 auch auf solche Vorstellungen hart reagiert.[1b] Jedenfalls hat Willy Brandt seit Herbst 1969 als Bundeskanzler der SPD-FDP-Koalition nicht mehr versucht, die DDR auszuklammern, als er von der Konfrontation zur Kooperation mit den Staaten des Sozialistischen Lagers in Europa gelangen wollte. Zugleich war seine Bundesregierung bereit, von der in Europa „bestehenden wirklichen Lage" auszugehen. In den Verträgen mit der UdSSR (76—79) sowie mit der Volksrepublik Polen (84) geschah dies. Daraufhin vereinbarten die vier Siegermächte am 32. Jahrestag der britischen und französischen Kriegserklärung an das Deutsche Reich ein Rahmen-Abkommen über Berlin. Erstmalig schuf es die Grundlage dafür, daß Zugangsrechte für Deutsche von und nach West-Berlin geregelt werden konnten (87). Gesonderte Verhandlungen zwischen Bevollmächtigten der Regierungen der Bundesrepublik Deutschland und der DDR sowie der Regierung der DDR und des Senats von (West-)Berlin führten Anfang Dezember 1971 zu entsprechenden „Transit"- und „Reise"-Vereinbarungen (91—92). In jeder Hinsicht waren diese Texte eng mit den eigentlichen Ostverträgen verknüpft: UdSSR und DDR gewährten nur dann die Zugangsrechte, wenn die Bundesrepublik Deutschland und der Senat sowie die drei Westmächte die Existenz von DDR und Oder-Neiße-Grenze anerkannten.
Hat die Bundesregierung mit dieser realistischen Politik Unrecht und Spaltung anerkannt und legitimiert? Wurden Wortlaut und Geist des Bonner Grundgesetzes verletzt (59, 95)? Müßte diese Verfassung geändert werden? Vielleicht auch der Staatsname? Oder erscheint es politisch als klüger, nicht derartig spektakulär und „endgültig" Grundentscheidungen, Ansprüche und Zielsetzungen deutscher Politiker „im Westen" aus einer bestimmten Phase des Kalten Krieges aufzugeben, in der sie diesen Staat organisiert haben? Diese Fragen führen von den tagespolitischen Auseinandersetzungen um die Deutschland-Politik der „sozial-

---

1b Für diese Zusammenhänge vgl. die Analyse des Prozesses der Meinungsbildung in der Bundesrepublik zur Intervention in der ČSSR, in: Bodensieck, Urteilsbildung zum Zeitgeschehen. Der Fall ČSSR 1968/69, Stuttgart (Klettbuch 92 115) 1970, S. 121 f.

liberalen" Koalition zum Grundsätzlichen, zur Entstehung und Existenz der Bundesrepublik. Das gilt ebenso von den Topoi und Schlagworten wie „Realismus" und „Kampf gegen Illusionen". Als Vorwürfe oder Zielbestimmungen prägen sie nicht nur die gegenwärtigen Diskussionen. Wenn man sie beachtet, lassen sich, vom Einzelthema der Bonner Deutschland-Politik ausgehend, Grundprobleme gerade der Politik in Deutschland erfassen. Zugleich verdeutlichen sie inner- sowie zwischenstaatlich die vielfältigen Funktionen von Ansprüchen, Orientierungen und „Innovationen".

Seit Herbst 1974 beweisen Entscheidungen und Vorstöße besonders von DDR und UdSSR (103—108 c), daß die Spannungen zwischen verfassungsmäßigen deutschlandpolitischen Ursprungsansprüchen der Bundesrepublik Deutschland und ihrer Verwirklichung nicht nur ein innerpolitisches Problem darstellen. Vielmehr erfordern es die systematisch und auf allen Ebenen (von der Ortsbezeichnung bis hin zum UN-Generalsekretariat [105]) vorgetragenen Gegen-Ansprüche, angesichts der KSZE-Vereinbarungen (1975, vgl. W II) möglichst nüchtern die gesamte Situation zu klären. — Den Herren Klaus Dietmann und Dr. Günter Lachmann danke ich für die Hilfe bei der Beschaffung von Unterlagen, Herrn Prof. Dr. Helmut Rumpf für den freundlichen Hinweis auf seine Autorschaft (59).

Heinrich Bodensieck

I. Vorentscheidungen während der Regierungszeit des Alliierten Kontrollrats für Deutschland

Nach der bedingungslosen Kapitulation der deutschen Streitkräfte vom 8. Mai 1945 (D 9) hatten die vier großen Siegermächte USA, UdSSR, Großbritannien und Frankreich „die höchste Autorität hinsichtlich Deutschlands" übernommen (D 10). Die Oberbefehlshaber der Besatzungszonen bildeten den Kontrollrat (D 11). Von 1945 bis zum 20. März 1948 tagte er regelmäßig in Berlin. Nachdem die USA Anfang September 1946 verkündet hatten, daß sie angesichts der Spannungen mit der UdSSR nicht mehr unbedingt mit einer „völligen" „wirtschaftlichen Vereinigung Deutschlands" rechneten und statt dessen in ihrem Einflußbereich eine „größtmögliche Vereinigung zu sichern" gewillt waren (D 22), reagierte die SED mit einer Kampagne für die „Einheit der Nation" (1). Die Mehrheit der nichtkommunistischen Politiker in den westlichen Besatzungszonen entschied sich in den folgenden Monaten dafür, die Konfrontationspolitik besonders der USA gegenüber UdSSR und SED/KPD zu unterstützen. Für diesen Kurs schien damals die Viersektorenstadt Berlin nur als Vorposten geeignet zu sein (2).

Seit Sommer 1947 hatte die Öffentlichkeit in Nordamerika und Europa zur Kenntnis genommen, wie entschlossen die Regierungen in Washington und London waren, die drei Westzonen Deutschlands in den wirtschaftlichen Wiederaufbau Westeuropas („European Recovery Program") sowie in die politische und möglicherweise in die militärische Integration auf dem Kontinent einzubeziehen. Im Herbst 1947 wurden derartige Pläne in der britischen, französischen und nordamerikanischen Publizistik und auf Tagungen erörtert. Unter dem Schutz der Truman-Doktrin (W 44 f.) konnten sie schrittweise verwirklicht werden. Seit Anfang 1948 stellte es sich heraus, daß die wirtschaftliche Integration der Westzonen mit der politischen Vereinigung Westdeutschlands zu einem föderalistisch geprägten Staatswesen verknüpft sein sollte. Zumindest der CDU-Politiker Konrad Adenauer hatte seit Herbst 1945 derartige Entwicklungen nicht nur für möglich gehalten, sondern angesichts radikaler französischer Sicherheitswünsche und befürchteter imperialistischer Reaktionen „Rußlands" sogar selber vorgeschlagen (D 20). Nachdem die Londoner Konferenz der Außenminister der vier Siegermächte im Dezember 1947 gescheitert war (D 27), bewiesen die Verlautbarungen über die Londoner Beratungen der drei Westmächte mit den Benelux-Ländern vom 6. März und 7. Juni 1948 (D 28, 30), daß sich bei den Regierungen aller dieser Staaten derartige Vorstellungen in bezug auf die künftige Behandlung Deutschlands durchgesetzt hatten. Auf wesentliche Probleme dieses Experiments hatte Walter Lippmann bereits vorher verwiesen (3).

Aus dem „Entwurf einer Verfassung für die Deutsche Demokratische Republik. Beschluß einer außerordentlichen Tagung des Parteivorstandes der Sozialistischen Einheitspartei Deutschlands" vom 16. November 1946:

1 „In der Gewißheit, daß nur durch eine demokratische Volksrepublik die Einheit der Nation, der soziale Fortschritt, die Sicherung des Friedens und die Freundschaft mit den anderen Völkern gewährleistet ist, hat sich das deutsche Volk diese Verfassung gegeben.

Art. 1. Deutschland ist eine unteilbare demokratische Republik, gegliedert in Länder...

Art. 6. Es gibt nur eine Staatsangehörigkeit der Deutschen Republik..."

„Neues Deutschland", 17. November 1946, Nr. 177, S. 3

Berlin wird nicht Sitz der Bundesgeschäftsstelle der CDU/CSU. Am 5. und 6. Februar 1947 trafen sich führende Mitglieder dieser Parteien aus allen vier Zonen in Königstein/Taunus. Ernst Lemmer, der noch bis Ende des Jahres zusammen mit Jakob Kaiser die CDU der SBZ leitete, berichtete über ein Gespräch mit Heinrich von Brentano nach der Abstimmung zugunsten von Frankfurt/M.:

2 „Lieber Freund, was hier geschieht, ist für uns Berliner eine schreckliche Enttäuschung. Wir haben uns mit Problemen herumzuschlagen, von denen ihr euch im Westen vielleicht keine rechte Vorstellung machen könnt. Wir denken an die Zukunft Berlins, wir denken an die Zukunft Deutschlands. Ihr aber laßt uns einfach fallen.

Brentano gab mir darauf diesen Bescheid:

‚Es gibt in der Politik Tatsachen, die ein solches Gewicht haben, daß man sich nicht nach Gefühlen richten darf, wenn ein harter Entschluß gefaßt werden muß. Ich habe mir alles genau angehört, was Adenauer gegen einen zentralen Sitz in Berlin vorzubringen hat, und ich war anfangs durchaus geneigt, ihm nicht so ohne weiteres zu vertrauen, sondern seine Argumentation kritisch zu durchdenken. Aber glauben Sie mir, lieber Lemmer: der Alte hat recht. Hier in den drei westlichen Zonen haben wir eine echte Chance, wieder souverän zu werden. Wenigstens ein Teil unseres Volkes kann sich über kurz oder lang zusammenschließen. Dann haben wir wenigstens einen Anfang. Das weitere muß sich finden. In Berlin aber, unter der Kontrolle einer totalitären Macht, liegen die Dinge anders. Das müssen Sie doch selbst einsehen.' Ich gab zu, daß man die Argumente Adenauers nicht einfach ignorieren könne. Natürlich sei die unverfrorene Einmischung unserer Besatzungsmächte [Plural richtig?] nicht zu leugnen. Doch dann hielt ich Brentano entgegen: ‚Kaiser und seine Freunde haben doch wohl bisher klar genug bewiesen, daß Widerstand möglich ist, ohne seinen Charakter zu verlieren. Man kann doch nicht zum Werkzeug eines fremden Willens mißbraucht werden, wenn man selbst es nicht will. Gerade unser Widerstand, Brentano, bedeutet für euch im Westen eine gewisse Verpflichtung, auf unsere Wünsche [zumindest Sitz im britischen Sektor Berlins] einzugehen. Mit eurer Unterstützung hätten wir schließlich gegenüber den Sowjets und der SED einen ganz anderen Rückhalt. Es ist ein Unterschied, ob wir nur in unserem eigenen Namen sprechen, oder im Namen aller unserer Parteifreunde im Westen.'

Diese Worte schienen Brentano zu beeindrucken, doch anscheinend hatte er inzwischen Adenauer versprochen, dessen Richtlinien zu folgen."

Ernst Lemmer, Manches war doch anders. Erinnerungen eines deutschen Demokraten, Frankfurt/M. 1968, S. 292

Warnung vor der Gründung eines „Western German State". Der nordamerikanische Kolumnist Walter Lippmann argumentierte:

3 „Wenn irgend etwas in der Welt sicher ist, so dies, daß kein deutscher Politiker, der hofft, eine Anhängerschaft unter der breiten Masse zu finden, jemals die Teilung Deutschlands annehmen will oder kann. Nicht nur die wirtschaftliche Vereinigung der vier Zonen, die wir in Potsdam wünschten, sondern auch die Wiederherstellung der politischen Einheit des Reiches ist, wie es unvermeidlich sein muß, das Ziel aller deutschen nationalen[2] Parteien. In diesem Punkt gibt es keinen sichtbaren Meinungsunterschied von der kommunistischen Linken bis zur äußersten Rechten. Die einzige wirkliche Ausnahme bilden einige Parteien in Bayern und im Rheinland, die die Erben einer alten separatistischen Tradition sind. Daher ist das wirkungsvollste Thema der deutschen kommunistischen Propaganda ‚Deutsche Einheit' mit der Mahnung, daß nur durch ein Einvernehmen mit der Sowjetunion die Einheit Deutschlands wiederhergestellt werden kann.

Aus diesem Grunde hoffe ich, daß wir nicht den Fehler machen werden, eine deutsche Regierung in der britisch-amerikanischen Bizone einzusetzen, einen Separatfrieden mit einem westdeutschen Staat, den so viele in London und Washington vorschlagen, zu schließen,

[2] Entsprechend dem Sprachgebrauch in den USA meint „national" hier nicht „national gesinnt", sondern den Gesamtbereich des (früheren) Staates umfassend; es sind also Politiker von Parteien gemeint, die überregional = national tätig sind. Diese Bedeutung von „national" ist erst seit Ende der 60er Jahre „im Westen" und in der dortigen Publizistik anzutreffen, und zwar offenbar von Werbetexten ausgehend, in denen für „national verbreitete" = „überregional" verbreitete Tageszeitungen oder Produkte geworben wird. Vgl. etwa die Werbung der „Frankfurter Allgemeinen Zeitung" in der „Deutschen Zeitung / Christ und Welt" vom 31. Dezember 1971.

wenn... der Rat der Außenminister nach einem toten Punkt auf dem Treffen in London auf unbestimmte Zeit vertagt wird...

Jeder Name, den wir unserem geplanten deutschen Staat geben — soll er ,Deutschland' oder ,Westdeutschland' genannt werden? —, wird eine beständige Mahnung sein und eine Aufforderung, später zu einem Übereinkommen mit dem Osten zu kommen. Betrachten wir auch Berlin und ob wir nach einem Abbruch der Verhandlungen mit Rußland und Abschluß eines Separatfriedens Berlin verlassen oder dort bleiben werden.

Außerdem müssen die Westdeutschen aus wirtschaftlichen Gründen mit dem Osten verhandeln, da ein großer Teil des deutschen Handels nach dem Osten fließt. Wir werden sogar gezwungen sein, ihnen anzuraten, Verhandlungen aufzunehmen. Wenn wir ihnen dabei die finanzielle Unterstützung versagen, weil wir die Abkommen, die sie mit Rußland und den östlichen Ländern abschließen, nicht gutheißen, werden wir für die Deutschen zu jener Macht werden, die die Teilung ihres Vaterlandes durch die Anwendung der Waffe der Aushungerung erzwingt... Amerika darf nicht mit der Teilung Europas und Deutschlands identifiziert werden, sondern mit der Einheit Europas und der Wiedergesundung nach dem Kriege."

*Lippmann hits Split Peace with Western German State, „New York Herald Tribune",
12. November 1947. Zit. nach der dt. Übers. in: Karl Bittel (Hbg.): Spaltung und
Wiedervereinigung Deutschlands. I. Teil 1945—1948. Reihe: Kleine Dokumentensammlung,
Berlin-Ost (Kongreß-Verlag) ²1958, S. 57 f*

II. Die gesamtdeutschen Ansprüche der Bundesrepublik Deutschland

Bereits vor der Bildung der Bundesrepublik Deutschland hat der Parlamentarische Rat deren gesamtdeutsche Ansprüche im Bonner Grundgesetz (BGG) formuliert. Sie bezogen sich hauptsächlich auf „Groß-Berlin" sowie auf die Rechtsnachfolge des Deutschen Reiches. Sie wurden im Staatsnamen ausgedrückt. Da die Auseinandersetzungen um Berlin bereits seit Frühjahr 1948 geführt wurden, der Parlamentarische Rat aber erst am 1. September 1948 seine Arbeiten begonnen hat, werden im folgenden die beiden Probleme nacheinander dargestellt. Die Unterteilung kann aber nur schwerpunktmäßig vorgenommen werden. Denn aus den Materialien ergibt sich ohne weiteres, wie Entscheidungen in der Berlin-Frage die endgültige Formulierung des BGG beeinflußt haben, genauso wie sich umgekehrt die Argumentationen in Bonn auf die Berlin-Positionen der unterschiedlichen und teilweise hart miteinander konkurrierenden Faktoren in Berlin auswirkten.

Die Berlin-Frage

Für die Zeit nach dem Scheitern der Viermächte-Kontrolle über das Ge-
samtgebiet der vier Besatzungszonen Rumpfdeutschlands hatten die Regierungen der Westmächte Schwierigkeiten mit der UdSSR wegen der Westsektoren in Berlin erwartet. Bereits seit Herbst 1944 war ein Sonderstatus
für die Stadt vereinbart worden (D 3, 11). Als die Westmächte in ihren drei
Zonen eine Währungsreform befohlen hatten, antwortete die UdSSR, indem sie Groß-Berlin in die Währungsreform der SBZ einbezog (4, vgl. D
S. 30 f.). Diese Reaktion stärkte in den Westsektoren und -zonen die Anhänger jener These, wonach Berlin in die „westlichen" Ziele aufgenommen
werden sollte, und zwar sowohl in wirtschaftlicher als auch politischer Hinsicht — zumindest bis Mai 1948 war eine solche Entscheidung umstritten
gewesen (5—8, 10). Nach dem Ende der Blockade, und d. h. beim Abschluß
der Arbeiten am BGG, wurde deutlich, wie führende deutsche Politiker
diese Entwicklung beurteilten (9, 25). Vermutlich haben sie mit derartigen
öffentlichen Stellungnahmen die Bedenken und das Zögern auf seiten der
Westmächte (11) bekämpfen wollen. Allerdings gelang ihnen das nicht
(12—13, 30). Während der folgenden zwei Jahrzehnte haben westdeutsche
und Westberliner Politiker und Juristen versucht, die Spannung zwischen
Verfassungstext, Einsprüchen der westlichen Besatzungsmächte und Berliner Gegebenheiten im Sinne des BGG zu deuten und dessen Ansprüche zu
verwirklichen (14—16). Äußerungen der UdSSR, der SED und der Staats-
organe der DDR (17) spielten bei diesen Bemühungen nur dann eine Rolle,
wenn sie als Bedrohungen aufgefaßt werden konnten.

**Berlin-Entscheidungen der Sowjetischen Militär-Administration in Deutsch-
land** (SMAD). Aus dem Befehl Nr. 111 des Obersten Chefs der SMAD
vom 21. Juni 1948:

4 „Die separate Währungsreform in den westlichen Besatzungszonen beschließt die Spaltung Deutschlands...
Unter Berücksichtigung der Vorschläge der Deutschen Wirtschafts-
kommission und der Wünsche der deutschen demokratischen Öffentlichkeit befehle ich:...
3. Um einer Desorganisation des Geldumlaufs vorzubeugen und die
wirtschaftlichen Schwierigkeiten zu beseitigen, sind im Gebiet von
Groß-Berlin, das sich in der sowjetischen Besatzungszone befindet
und wirtschaftlich einen Teil der sowjetischen Besatzungszone bildet,
nur neue Geldscheine der sowjetischen Besatzungszone im Verkehr
zugelassen...".

*E. Heidmann — K. Wohlgemuth (Hgb.): Zur Deutschlandpolitik der Anti-Hitler-
Koalition (1943 bis 1949) (= Dokumente und Materialien zur Zeitgeschichte des Deutschen
Instituts für Zeitgeschichte, Berlin), Berlin (Ost) ²1968, S. 199. — In anderen Wiedergaben
ist irrtümlich nur von der „deutschen Öffentlichkeit" die Rede.*

Die Antwort Ernst Reuters. Aus der Rede auf einer SPD-Kundgebung (Hertha-Platz) 24. Juni 1948:

5 „Immer gibt es Leute, die in einer kritischen Stunde anfangen, davon zu reden, man müsse sich mit den Realitäten, mit den Tatsachen, mit den Dingen und mit den Verhältnissen abfinden. Man hat geglaubt, z. B. mich zu beschimpfen, indem man gesagt hat, ich sei die Personifikation der Einsichtslosigkeit in die realen Verhältnisse. Auch dafür haben wir Deutsche bittere Erfahrungen genug gesammelt... Mit den realen Verhältnissen fanden sich alle diejenigen ab, die 1933 sich auch dazu entschlossen, ihren Frieden mit Hitler zu machen. Der Entschuldigungen gab es genug. Immer wollte man Schlimmeres verhüten. Am Ende lag Deutschland in Trümmern... Heute geht es im Grunde genommen um genau dasselbe. Auch heute kann Berlin nur leben, kann Deutschland nur leben, wenn es lernt, für seine Freiheit, für sein Recht und für seine Selbstbehauptung zu kämpfen und nicht sein Erstgeburtsrecht zu verkaufen."

H. J. Reichhardt — H. U. Treutler — A. Lampe (Landesarchiv Berlin — Abt.
Zeitgeschichte) (Hgb.): Berlin. Quellen und Dokumente 1945—1951. Bd. 4,2 der
Schriftenreihe zur Berliner Zeitgeschichte, im Auftrage des Senats von Berlin,
Berlin (West) 1964, S. 1469

Aus der Note der UdSSR an die USA, Großbritannien und Frankreich über die Lage in Berlin vom 14. Juli 1948:

6 „Berlin liegt im Zentrum der sowjetischen Besatzungszone und stellt einen Teil dieser Zone dar."

Zit. in: W. Heidelmeyer — G. Hindrichs (Hgb.): Dokumente zur Berlin-Frage 1944—1962,
München ²1962, S. 80

Ernst Reuter (SPD) bestärkte die Anhänger des „Weststaats". Als gewählter, aber von den Besatzungsbehörden nicht bestätigter Oberbürgermeister von Groß-Berlin nahm er an der internen Diskussion teil, die am 21. Juli 1948 auf Jagdschloß Niederwald stattfand. Reuter forderte eine schnelle Entscheidung zugunsten der Anweisungen der westlichen Besatzungsmächte:

7 „Wir stehen auf dem Standpunkt, daß wir zu Ihnen gehören und ein Teil von Ihnen sind, auch wenn wir es staatlich im Augenblick noch nicht sein können. Es ist meine Überzeugung, daß der Kampf um Berlin auch bei uns nicht ein Kampf um die Wiederherstellung des status quo ante ist, sondern daß der Kampf dazu führen muß, daß die Blockade gebrochen wird und daß wir zu dem Teil Deutschlands kommen, zu dem wir unserer politischen Überzeugung nach gehören und mit dem wir aus wirtschaftlichen Gründen auf Gedeih und Verderb verbunden sind...

Wir... in Berlin und im Osten [können eines] nicht ertragen — das Verbleiben des Westens in seinem bisherigen politisch unentschiedenen Status. Wir sind der Meinung, daß die politische und ökonomische Konsolidierung des Westens eine elementare Voraussetzung für die Gesundung auch unserer Verhältnisse und für die Rückkehr des Ostens zum gemeinsamen Mutterland ist...

Unter allen Umständen aber sind wir fest entschlossen, unseren Anspruch auf eine Beteiligung an dieser Gestaltung aufrechtzuerhalten, und wir bitten Sie darum, dafür einzutreten, daß Berlin in einer parlamentarischen Körperschaft für die Ausarbeitung der Verfassung genauso vertreten ist, wie ich heute hier als Gast und Teilnehmer vertreten bin... Wir wissen, daß wir in dieser klaren Stellungnahme auch die Repräsentanten der Hoffnungen der gesamten Bevölkerung der Ostzone sind."

Willy Brandt — Richard Lowenthal, Ernst Reuter. Ein Leben für die Freiheit. Eine politische Biographie, München ²1965, S. 474 f.

Ernst Reuters Konzeption für die Währungsreform in Berlin faßten Willy Brandt und Richard Lowenthal 1957 rückblickend folgendermaßen zusammen:

8 Wesentlich war „die Erkenntnis, daß der Konflikt in Berlin unvermeidlich war, und daß die Unabhängigkeit nur behauptet und eine mögliche Einigung mit den Sowjets im Verhandlungswege nur erzielt werden konnte, wenn die Westalliierten bereit waren, die neue westdeutsche Währung auch in den Westsektoren von Berlin einzuführen — auch auf die Gefahr ernster wirtschaftlicher Schwierigkeiten, ja selbst auf die Gefahr einer Bedrohung der Einheit der Berliner Verwaltung hin. Diese Männer gingen davon aus, daß die Annahme einer von den Sowjets kontrollierten Währung für Berlin zwangsläufig zu totaler Abhängigkeit des Berliner Wirtschaftslebens von der sowjetischen Politik und damit zur faktischen Eingliederung Berlins in die Ostzone und zum Verlust der politischen Freiheit führen müsse. Verglichen damit erschien ihnen jede noch so große Schwierigkeit, die aus einer Währungsspaltung in Berlin entstehen mochte, als das kleinere Übel."

Willy Brandt — Richard Lowenthal, Ernst Reuter. Ein Leben für die Freiheit. Eine politische Biographie, München ²1965, S. 405

Das Urteil über Berlin eines Beraters des US-Militärgouverneurs General Clay für die Arbeit des Parlamentarischen Rates von Mitte März 1949 überlieferte George F. Kennan:

11 „In Frankfurt benutzte ich die Gelegenheit zu einem langen Gespräch mit einem alten Bekannten aus Berlin und jetzigen amerikanischen Bürger, einem Mann mit viel Erfahrung und klarem Urteil... Obwohl selber gebürtiger Berliner, warnte er mich davor, die Notlage von Berlin zu wichtig zu nehmen und sich dadurch zu einer übereilten Wiedervereinigung des Landes drängen zu lassen. Es schien ihm sehr gefährlich, die beiden schon jetzt in ihrem gesellschaftlichen Aufbau so verschiedenen Teile Deutschlands abrupt wieder zusammenzufügen. In der Sowjetzone hatte sich, wie er sagte, ,wirklich so etwas wie eine soziale Revolution vollzogen... Wenn man jetzt versuche, die Sowjetzone wieder mit dem übrigen Deutschland zu vereinigen, würde es einen schlimmeren Bürgerkrieg geben als den in Spanien. Weder die Sowjetunion noch die Westmächte würden ruhig zusehen können, wie man ihre Freunde schlüge. Sie würden zum Eingreifen gezwungen sein. Das wäre das Ende Deutschlands und der westeuropäischen Zivilisation. Wir sollten deshalb aus der Not eine Tugend machen und die Teilung Deutschlands als die einzige Chance für die Konsolidierung Westeuropas sogar begrüßen. Ein wiedervereinigtes Deutschland wäre für Europa wahrscheinlich unverdaulich. Die Verbindung des ostzonalen Extremismus mit den in Westdeutschland ebenfalls vorhandenen Strömungen würde ein politisches Bild ergeben, das von den Vorstellungen des Westens zu stark abwiche, um annehmbar zu sein. Er selbst als gebürtiger Deutscher bedaure das.
Unsentimental gesehen, wäre es besser, Berlin aufzugeben. Als deutsche Hauptstadt werde es nicht benötigt. Mit Beginn des Kalten Krieges sei ein Festhalten daran unlogisch geworden. Wahrscheinlich sei die Aufgabe Berlins ja aus psychologischen Gründen unmöglich...'"

George F. Kennan, Memoiren eines Diplomaten. (Memoirs 1925—1950, Boston 1967) dt. Stuttgart ⁴1968, S. 432 f.

Aus der Erklärung der Alliierten Kommandantur der Stadt Berlin vom 14. Mai 1949 über die „Grundsätze der Beziehungen der Stadt Groß-Berlin zu der Alliierten Kommandantur":

12 „1. Die drei Militärgouverneure haben dem Parlamentarischen Rat in Bonn den Text eines Besatzungsstatuts übersandt, welcher der Deutschen Bundesrepublik, die in Kürze gegründet wird,

Ernst Reuters Erwartungen. Aus der Rundfunkansprache zur bevorstehenden Aufhebung der Blockade, 5. Mai 1949:

9 „Die Aufhebung der Blockade ist der erste Erfolg des Gedankens der Freiheit und der Demokratie. Ihm werden und müssen weitere Erfolge folgen… Unsere Aufgabe, die wir in Berlin zu lösen haben, fängt erst an. Wir müssen nicht nur Westberlin, was wir jetzt endgültig gewonnen haben, verteidigen und halten, wir müssen unsere Landsleute im Osten endgültig befreien… Wir müssen unsere eiserne Entschlossenheit beibehalten, den Weg weiterzugehen, den wir gegangen sind, auf unserem Recht zu beharren. Lassen Sie sich durch niemanden und durch nichts irremachen. Wir werden nicht mehr verkauft werden!" *H. J. Reichhardt u. a. (Hgb.): Berlin. Bd. 4,2, S. 1549*

General Clays unterschiedliche Begründungen für den Ausschluß Berlins aus dem zu bildenden westdeutschen Staatswesen. Während der Blockade verwies er zunächst auf die tatsächliche Lage, später auf die Rechtsposition; am 22. November 1948 kabelte er nach Washington (vgl. 87, 88!):

10 „I am even more concerned with the French comment that the participation of the representatives of Berlin at Bonn is threatening the political reconstruction of Western Germany. We have told the French that if quadripartite government exists in Berlin at the time that the constitution is approved, we will have to disapprove Berlin participation in western German government. On the other hand, if Berlin is then a split city, it must be supported by Western Germany. Careful attention must be given under the conditions which exist when the constitution is approved to including Berlin in western German government. The French do not really want a united Germany with Berlin as the capital. Our policy calls for a united Germany. Any act on our part which would indicate that we oppose a united Germany would lessen greatly our influence in Western Germany."

Nach der Beratung über die Fassung des Bonner Grundgesetzes vom Februar 1949 stellte er fest:

„The inclusion of Berlin as one of the federal states was inconsistent with our legal position that Berlin was under quadripartite control by international agreement."

*Lucius D. Clay: Decision in Germany. Garden City, N.Y. 1950, S. 414 f.; 422
Telegramm vom 22. November 1948 ausführlicher wiedergegeben in: Jean Edward Smith
(Hgb.): The Papers of General Lucius D. Clay. Germany 1945—1949. Vol. II, Nr. 591,
Bloomington — London (Indiana U. P.) 1974, S. 934 ff.*

umfangreiche gesetzgebende, vollziehende und gerichtliche Vollmachten verleiht…"

W. Heidelmeyer — G. Hindrichs (Hgb.): Dokumente zur Berlin-Frage 1944—1962, S. 114.
Dort: „deutsche Bundesrepublik", offenbar irrtümlich

Aus der Anordnung der Alliierten Kommandantur der Stadt Berlin vom 30. Juni 1949. „Betr.: Beschlüsse der Stadtverordnetenversammlung vom 21. Juni 1949 über die Vertretung von Berlin auf dem Bundestag der Bundesrepublik Deutschland"[3]:

13 „1. Die Alliierte Kommandantura empfing Ihr[e]… Beschlüsse über die Vertretung Berlins bei der Deutschen Bundesrepublik… 3. …Die Militärgouverneure sind der Ansicht, daß infolge der Pariser Konferenz [der vier Außenminister] keine Änderung in den Beziehungen von Berlin zur Bundesrepublik eingetreten ist…"

W. Heidelmeyer — G. Hindrichs (Hgb.): Dokumente, S. 122

„Groß-Berlin" im Geltungsbereich des Bonner Grundgesetzes. Der Rechtswissenschaftler Theodor Maunz äußerte zum Art. 23 Satz 1 (vgl. jedoch 1977: 108 a!):

14 „Ob mit ‚Groß-Berlin' (die Bezeichnung gibt es heute nirgends mehr) wenigstens anfänglich die vier Sektoren oder nur die drei westlichen Sektoren der Stadt gemeint sein sollten, ist dem Art. 23 nicht eindeutig zu entnehmen. Die Trennung der Stadt war nämlich beim Inkrafttreten des GG noch nicht in der gegenwärtigen Weise erfolgt. Das Wort ‚Groß-Berlin' soll jedenfalls weder einen aggressiven noch einen expansiven Charakter haben."

Maunz-Dürig: Grundgesetz. Kommentar. München — Berlin 1964, Art. 23, Erl. II 8 c
(Randn. 31)

Die Schwierigkeiten für „die rechtliche Beurteilung des Berlin-Status" legte der westliche Experte Heinz Kreutzer dar:

15 „Dieser Status [ist] als Ergebnis einer vom ersten Tage an inhomogenen und bald offen gegensätzlichen Nachkriegspolitik der vier Siegermächte in Deutschland entstanden, … und die ihn tragenden, z. T. recht lückenhaften Vereinbarungen und Tatsachen [tragen] stark situationsgebundenen Charakter… Die Diskussion um den Berlin-Status hat sich weiter dadurch kompliziert, daß er seit dem November 1958 wiederum zum Gegenstand sowjetischer Offensiven und ständiger praktisch-politischer Korrekturversuche gemacht worden ist. Diese Angriffe haben sich in Form und Methode wiederholt gewandelt, ihre Zielsetzung aber ist offenbar die gleiche

[3] *Lt. H. J. Reichhardt u. a. (Hgb.): Berlin, Bd. 4,2, S. 2048, Nr. 1129: auch hier „Deutsche Bundesrepublik"*

geblieben: nach der Beseitigung der Zuständigkeiten und Verantwortlichkeiten der drei Westmächte in und für Berlin den westlichen
Teil der Stadt von seinen Bindungen an den freien Teil der Welt zu
lösen und ihn, möglicherweise in einem mehrstufigen Prozeß, etwa
über das Interim einer sogenannten Freien Stadt, ebenso in den
sowjetischen Machtbereich einzubeziehen, wie das schon mit ihrem
östlichen Teil geschehen ist; damit wären die militärischen Erfolge
der Sowjetunion im zweiten Weltkriege auch politisch bis zur Elbe-
Werra-Linie konsolidiert. Die dem Vorgehen gegen Berlin parallelen
massiven Versuche, die allgemeine internationale Anerkennung des
mitteldeutschen Satrapen-Regimes als zweiter deutscher Staat zu er-
zwingen, und der in diesen Tagen ratifizierte Moskauer Freund-
schafts- und Beistandsvertrag zwischen der Sowjetunion und der
‚DDR‘ bieten nur weitere Aspekte desselben Konzepts. Es kommt
als drittes hinzu, daß in einer politisch so kontroversen Situation
von einer bestimmenden Kraft des Rechts kaum noch gesprochen
werden kann. Denn das gegenwärtige Völkerrecht ist mit dem Zer-
fall einer einheitlichen und im wesentlichen europäisch geprägten
Konzeption in ideologisch orientierte Rechtskreise keine hinreichend
wirksame Größe mehr. Es ist zudem im Gegensatz zum innerstaatlichen Recht sanktionslos, nicht durchsetzbar, von der satzungsmäßi-
gen Unzuständigkeit internationaler Organe in der deutschen einschließlich der Berlin-Frage ganz abgesehen. Man braucht auch nicht
sonderlich zu betonen, daß es die Mentalität und die Taktik der anderen Seite schlechthin ausschließt, die Berlin-Frage mit ihr auf der
Grundlage des geltenden Rechts zu lösen. Rechtliche Aussagen zum
Berlin-Problem bleiben daher, mögen sie noch so überzeugend oder
gar zwingend sein, letztlich unbefriedigend. Sie sind nicht geeignet,
die politische Entwicklung maßgeblich zu bestimmen und das Macht-
und Prestigeargument der beiden Weltmächte in der Berlin-Frage zu
entwirren. Und letztlich: Auch auf westlicher Seite besteht nicht in
allen sich aus dem Berlin-Status ergebenden Fragen völlige Ein-
stimmigkeit. Zwar sind hier anzutreffende Auffassungsunterschiede
überwiegend taktisch-politisch indiziert, denn die an der Verteidigung Berlins beteiligten Mächte setzen ihre Akzente je nach ihrer
Position in diesem langwierigen Prozeß notwendig unterschiedlich.
Es bleibt aber... eine gewisse Inkongruenz insbesondere zwischen
dem völkerrechtlichen und dem inzwischen erreichten staatsrechtlichen Status dieser Stadt.

Übereinstimmung besteht in West und Ost lediglich darüber, daß
der gegenwärtige Status Berlins — ebenso wie der gesamtdeutsche —
denkbar unbefriedigend ist. Alle am Berlin-Konflikt Beteiligten suchen nach Statusverbesserungen; aber die lebenswichtige Frage, vor

allem für die Berliner selbst, ist die nach ihrem Inhalt... Unsere Aufgabe ist es, in der Gegenwart zu bleiben und den gegebenen Status Berlins zu betrachten, so verwirrend und lückenhaft er auch sein mag, nicht einen wünschenswerten künftigen. Auch in dieser Beschränkung scheinen mir Erörterungen der Rechtslage nicht sinnlos zu sein. Denn sie weisen, da das Recht in einem ständigen und untrennbaren Funktionszusammenhang mit der Politik steht, die kondensierten Ergebnisse der bisherigen Berlin-Politik und zugleich die wichtigsten Ausgangsdaten der kommenden politischen Prozesse auf. Sie können dazu geeignet sein, Unklarheiten in tatsächlicher Hinsicht aufzuhellen und politisch-taktische Erwägungen unter klarere Bezugspunkte zu stellen. Rechtliche Erwägungen sind... gerade im Falle Berlins für die politische Entwicklung nur sehr bedingt maßgeblich. Aber sie bewahren, wenn sie richtig angestellt werden, vor Trugschlüssen und Fehlbeurteilungen. Sie zeigen jedenfalls unzweideutig die politischen Alternativen auf.

Das Rechtsproblem Berlin ist zweischichtig; es hat eine international-rechtliche, also völker- und besatzungsrechtliche, und eine deutsch-rechtliche, überwiegend staatsrechtliche Seite...
...

Immerhin haben die westlichen Besatzungsmächte sehr bald und bis heute — zum Teil sehr dezidiert — den Standpunkt geäußert, daß diese deutsche Auffassung von der Zugehörigkeit Berlins zur Bundesrepublik nicht die ihre sei; sie haben sich vielmehr auf den Grundsatzstandpunkt gestellt, daß Berlin juristisch nicht zur Bundesrepublik gehöre, wenn es auch in sehr vieler, ja faktisch in fast umfassender Hinsicht wie ein Bundesland behandelt werde und zu behandeln sei. Wir haben hier zunächst nur festzustellen, daß zwischen den Alliierten und den Deutschen in der Frage der Zugehörigkeit Berlins zur Bundesrepublik ein eindeutiger und ganz prinzipieller Meinungszwiespalt besteht. Eine objektive Interpretation nach den Begriffen und Methoden des deutschen Rechts läßt uns... zu... [dem] Ergebnis kommen..., daß Berlin ursprüngliches Land der Bundesrepublik ist, wenn auch infolge besatzungsrechtlicher Vorbehalte diese Mitgliedschaft noch nicht zu allen Rechten und Pflichten ausgeübt werden darf. Nach alliierter Auffassung hingegen waren die damals getroffenen Maßnahmen dazu bestimmt, eine Mitgliedschaft Berlins in der Bundesrepublik, jedenfalls vorerst, zu suspendieren, die praktischen Folgen dieser Maßnahme aber weitestgehend zu beseitigen...

In der Praxis ist diese Kontroverse beinahe zu einer akademischen geworden. Wir Deutsche sind vital daran interessiert, daß die Rechtsposition der drei Westmächte, die zur Grundlage zwar noch die aus der bedingungslosen Kapitulation Deutschlands resultierende Besatzungsgewalt hat, die aber seit dem Beginn der Blockade völlig neuen Zielen dient, nämlich der Sicherung der Freiheit und der Lebensfähigkeit West-Berlins, nicht angetastet wird. Wir haben daher auch die Auffassung der Westmächte zu respektieren, die eine vollständige und uneingeschränkte Einbeziehung West-Berlins in das organisatorische Gefüge der Bundesrepublik als mit ihrer derzeitigen Rechtsstellung in der Stadt unvereinbar ablehnen, selbst wenn wir diese Rechtsauffassung nicht oder nicht voll teilen... Der fast zur theoretischen Frage verblaßte Unterschied in der Beurteilung der Stellung Berlins im Bund zwischen Westalliierten und Deutschen ist bedingt durch die verschiedenen Aspekte, unter denen beide Seiten diese Frage betrachten. Praktisch spielt dieser Punkt nur noch höchst selten eine Rolle...

Ein dauerhafter Status für Berlin [wird] nur zu finden sein... im Zuge einer Lösung des Deutschland-Problems *im ganzen*.«

Heinz Kreutzer: Die Rechtsstellung Berlins, „Geschichte in Wissenschaft und Unterricht",
Jg. 16 (1965), S. 99—101, 112 f., 117

Theorien über das Verhältnis Berlins zur Bundesrepublik Deutschland mußten von dem Genehmigungsschreiben der westlichen Militärbehörden zum BGG ausgehen:

16 „Die verschiedenen Auslegungen... basieren letztlich auf der Frage, ob für die Auslegung der subjektive Wille des Absenders oder der objektive Inhalt maßgeblich ist. Ist der Wille maßgebend, wovon offensichtlich die Absender selbst, also die drei Westalliierten, ausgehen, ist Art. 23 Satz 1 GG als Rechtsgrundlage für die Mitgliedschaft Berlins im Bund suspendiert. Dies ergibt sich insbesondere aus den vorangegangenen Schreiben der Alliierten, worin *expressis verbis* von... dem Verbot, Berlin in die anfängliche Organisation der Bundesrepublik mit einzubeziehen, die Rede ist. Es ergibt sich ferner aus späteren Stellungnahmen der Westalliierten gleichen Inhalts. Dieser in der Literatur als ‚subjektive Theorie' bezeichneten Ansicht folgte anfangs auch die deutsche Rechtsprechung, Wissenschaft und Praxis.

Unter Führung von [Martin] Draht hat sich dagegen [seit 1951] die sogenannte objektive Theorie in der Bundesrepublik allgemein durchgesetzt. Diese Theorie, die wohl richtiger ‚Empfängertheorie' heißen sollte, hält den Willen des Absenders für irrelevant. Entscheidend sei allein das objektive Verständnis auf deutscher Seite, d. h. ein Verständnis, wie es sich bei verständiger Würdigung des Genehmigungsschreibens durch den Empfänger ergebe. Für dieses Verständnis enthalte Nr. 4 des Genehmigungsschreibens die Formulierung zweier Vorbehalte (keine Stimmberechtigung in Bundestag und Bundesrat; *government*-Verbot), mehr nicht. Nirgends werde in Nr. 4 des Genehmigungsschreibens vom Verbot der Mitgliedschaft oder der Suspension des Art. 23 Satz 1 GG gesprochen. Die Bezugnahme auf den ‚*previous request*‘ sei ohne Bedeutung, da allein die abschließende Regelung im Genehmigungsschreiben maßgebend sei, die eine Neuformulierung des ‚früheren Ersuchens‘ darstelle.“

G.-H. Kemper/P. Hauck: Probleme und Praxis der Einbeziehung Berlins in die Rechtsordnung der Bundesrepublik. 1. Das Rechtsproblem . . ., in: J. Fijalkowski u. a., Berlin — Hauptstadtanspruch und Westintegration, Köln — Opladen 1967, S. 117

Berlin-Positionen der SED, der DDR und der UdSSR 1949—1950

Walter Ulbricht am 27. Januar 1949:

17 a „Wir betrachten Berlin nicht etwa als eine Stadt oder als ein Land der Ostzone, sondern Berlin heißt die Hauptstadt Deutschlands. Wir haben deshalb auch nicht die Absicht, Berlin in die Ostzone einzugliedern.“

W. Brandt — R. Lowenthal, E. Reuter, S. 492

Aus der Erklärung des Informationsbüros der SMAD vom 10. Februar 1949 zu Presseberichten,

17 b „daß der Hauptausschuß des sogenannten ‚Parlamentarischen Rates‘ in Bonn den Beschluß gefaßt habe, ‚Berlin als zwölftes Land in den westdeutschen Bundesstaat einzugliedern‘… Der provokatorische Charakter und das Abenteuerliche dieses Beschlusses bestehen in der bewußten Nichtberücksichtigung der Tatsache, daß Berlin nur die Hauptstadt eines einheitlichen deutschen Staates sein kann und daß, da es in der sowjetischen Besatzungszone liegt und mit ihr verbunden ist, Berlin auf keinen Fall in einen separaten westdeutschen Staat eingeschlossen werden kann…“

Wolfgang Heidelmeyer — Günter Hindrichs (Hgb.): Dokumente zur Berlin-Frage 1944—1962. Bd. 18 der Dokumente und Berichte des Forschungsinstituts der Deutschen Gesellschaft für Auswärtige Politik e.V., München ²1962, S. 112

Aus der Verfassung der Deutschen Demokratischen Republik vom 7. Oktober 1949:

17 c „Art. 2,2: Die Hauptstadt der Republik ist Berlin.“

Günter Albrecht (Hgb.): Dokumente zur Staatsordnung der Deutschen Demokratischen Republik, Bd. 1, Berlin (Ost) 1959, S. 421

Aus dem Gesetz über die Bildung einer Provisorischen Länderkammer vom 7. Oktober 1949:

17d „Art. 4. Die Hauptstadt der Deutschen Demokratischen Republik, Berlin, kann in die Provisorische Länderkammer sieben Vertreter als Beobachter entsenden."

J. Hohlfeld, Dokumente der Deutschen Politik und Geschichte von 1848 bis zur Gegenwart, Berlin o. J., Bd. VI, S. 409

Aus dem Gesetz über die Wahlen zur Volkskammer... in der Deutschen Demokratischen Republik am 15. Oktober 1950. Vom 9. August 1950:

17e „§ 49. Die Hauptstadt Berlin entsendet in die Volkskammer 66 Vertreter mit beratender Stimme."

G. Albrecht (Hgb.): Dokumente . . . , Bd. 1, S. 467

Aus der Rede des Generalsekretärs des Zentralkomitees der SED, Walter Ulbricht, vor dem Parteiaktiv der Berliner SED über die Aufgaben des Magistrats, 3. August 1950:

17f „Wir haben den Eindruck, daß die Tatsache, daß Berlin nicht juristisch zur Deutschen Demokratischen Republik gehört, manche Genossen dazu verführt hat, die Politik der Regierung der DDR in Berlin nicht anzuwenden... Alle Berliner Genossen müssen sich bewußt werden, daß Berlin die Hauptstadt der DDR ist und zugleich die Hauptstadt ganz Deutschlands."

Nach „Tägliche Rundschau" (SMAD), Berlin-Ausgabe, 5. August 1950, zit. von: H. J. Reichhardt u. a. (Hgb.): Berlin, Bd. 4,2, S. 1825

Der Staatsname der Bundesrepublik Deutschland

Der „Groß-Berlin"-Anspruch des BGG verwies auf die Fragen nach Gebietsstand und Geltungsbereich der Staatsorganisation Bundesrepublik Deutschland. Vorentscheidungen über ihre Struktur waren bereits gefallen, bevor die Berlin-Frage wichtig geworden war. Seitdem die SED „eine demokratische Volksrepublik" gefordert hatte (1), stellten besonders Vertreter der USA und Frankreichs sowie die CSU und die Mehrheit der CDU (18) das Föderative als entscheidendes Merkmal der neu zu bildenden Republik heraus. Damit wurden die Diskussionen des letzten Jahrhunderts über Staatenbund oder Bundesstaat und über die Reichsreform fortgeführt. Die Lösung, die jetzt gefunden werden sollte, konnte zugleich im Staatsnamen ausgedrückt werden. Schließlich war es in diesem Punkt möglich, die gesamtdeutschen Ansprüche des Parlamentarischen Rats zu verdeutlichen. Die Diskussionen im Plenum und in den Ausschüssen lassen erkennen, welche Vielfalt von Gesichtspunkten die Vertreter der unterschiedlichen Standorte vorgetragen haben. Die Entscheidung der Mehrheit für „Deutschland" ging bewußt über jene Benennung hinaus, die von den Militärgouverneuren erwartet worden sein dürfte (12—13, 27—28). Zur Bewertung des Selbstverständnisses des Parlamentarischen Rats von 1948/49 (22) rückblickend 1973: 101 (S. 122 — B III 1; vgl. 1970: 73) sowie H. Bodensieck: Deutschlandpolitischer Grundkonflikt der Bundesrepublik Deutschland. Zs. „Politik und Kultur" V (1978), H. 1, S. 48—58.

Aus den „Grundsätzen für eine Deutsche Bundesverfassung. Vorschläge für die CDU/CSU-Arbeitsgemeinschaft, besprochen auf der Tagung des Ellwanger Freundeskreises in Bad Brückenau am 13. April 1948":

18 „I. Bundesstaatliche Grundlagen.

1. Deutschland soll ein Bundesstaat mit der Bezeichnung ‚Bundesrepublik Deutschland' sein . . ."

Verhandlungen des Parlamentarischen Rats, Drucksache Nr. 74, S. 1, masch. Manuskript

Aus den Vorschlägen des Verfassungsausschusses der Ministerpräsidentenkonferenz der drei Westzonen für die Präambel der Verfassung:

Mehrheitsvorschlag:

19a „Das deutsche Volk in den Ländern Baden, Bayern, Bremen, Hamburg, Hessen, Niedersachsen, Nordrhein-Westfalen, Rheinland-Pfalz, Schleswig-Holstein, Württemberg-Baden und Württemberg-Hohenzollern, durch seine verfassungsmäßigen und gesetzlichen Organe handelnd, erfüllt von dem Willen, alle Teile Deutschlands in einer Bundesrepublik wiederzuvereinigen und seine Freiheitsrechte zu schützen, und bestrebt, vorläufig in einem Teile Deutschlands, der durch die Gebiete dieser Länder begrenzt wird, eine den Aufgaben der Übergangszeit dienende Ordnung der Hoheitsbefugnisse zu schaffen, erläßt kraft seines unverzichtbaren Rechtes auf Gestaltung seines nationalen Lebens dieses Grundgesetz für einen Bund deutscher Länder, der allen anderen Teilen Deutschlands offensteht."

Minderheitsvorschlag:

19b „Die Länder Baden, Bayern, Bremen . . . bilden zur Wahrung der gemeinsamen Angelegenheiten des deutschen Volkes eine bundesstaatliche Gemeinschaft, der beizutreten allen übrigen ‚deutschen Ländern' offensteht. Diese Gemeinschaft hat die Aufgabe, bis zur Wiederherstellung der deutschen Einheit die Bundesgewalt auszuüben und die Freiheitsrechte der Bevölkerung zu schützen. Die Gemeinschaft führt den Namen ‚Bund deutscher Länder'. Für den Bund gilt diese vorläufige Verfassung."

Bericht über den Verfassungskonvent auf Herrenchiemsee vom 10. bis 23. August 1948.
Darst. Teil, München (1948), S. 61

Aus den Stellungnahmen zu Beginn der Arbeit des Parlamentarischen Rates:

Abg. Carlo Schmid (SPD):

20 a „Wir haben unter Bestätigung der alliierten Vorbehalte das Grundgesetz zur Organisation der heute freigegebenen Hoheitsbefugnisse des deutschen Volkes in einem Teile Deutschlands zu beraten und zu beschließen. Wir haben nicht die Verfassung Deutschlands oder Westdeutschlands zu machen. Wir haben keinen Staat zu errichten...
Es scheint mir nicht unser Interesse zu sein, einer Besatzungsmacht durch ein Tun unsererseits einen Vorwand für die Verwandlung des heutigen Provisoriums der Separation der einzelnen Zonen in das Definitivum der Separation Ost-Deutschlands zu liefern. Aber das ist eine politische Entscheidung. Können wir sie treffen? Können wir sie treffen in einem Zustand, in dem uns die Möglichkeit genommen ist, den Umfang des Risikos zu bestimmen, das Deutschland dabei treffen müßte?...
Schließlich bleibt die Frage, ob nicht die Teile Deutschlands, die außerhalb des Anwendungsgebiets des Grundgesetzes verbleiben müssen, die Möglichkeit sollen erhalten können, an den gesetzgebenden Organen sich zu beteiligen, die das Grundgesetz schaffen wird. Über das Wie und die Frage, ob sie es allgemein sollten tun können, wird hier noch zu sprechen sein. Aber eine Voraussetzung scheint mir dafür vorliegen zu müssen: Es müssen freie Wahlen möglich sein; es muß die Möglichkeit bestehen, Vertreter hierher zu entsenden. Dies trifft heute schon auf Berlin zu, und deshalb sollte das Grundgesetz die Bestimmung vorsehen, daß Vertreter Berlins in die gesetzgebenden Körperschaften zu berufen sind...
Der Parlamentarische Rat ist fraglos ein gesamtdeutsches Organ. Wir hier... vertreten nicht bestimmte Länder, sondern wir vertreten die Gesamtheit des deutschen Volkes, soweit es sich vertreten lassen kann...
Ich habe versucht, eine klare Definition der Wirklichkeit zu geben, und sonst nichts. Denn nur auf einer klar definierten Wirklichkeit kann man eine Politik aufbauen, die ihren Namen verdient. Mit

Illusionen und Fiktionen kann man sich etwas vormachen, eine Zeitlang vielleicht auch anderen. Man kann sich ihrer vielleicht eine Zeitlang sogar als Instrumente einer Politik bedienen, aber man kann Fiktionen nicht zu Fundamenten einer Politik machen, nicht einmal zu Ansatzpunkten für den Hebel einzelner politischer Aktionen. Mein Anliegen ist gewesen, klare Einsichten zu vermitteln und dabei nüchtern zu verfahren... Einsicht und Nüchternheit gebieten, die Begrenzungen zu erkennen, denen unsere Möglichkeiten unterworfen sind. Je mehr wir bei voller Ausschöpfung dieser Möglichkeiten dieser Realität Rechnung tragen, desto wirksamer wird das Instrument sein, das wir zu schmieden haben. Wofür schmieden wir dieses Instrument? Schmieden wir es, um Deutschland zu spalten? Wir schmieden es, weil wir es brauchen, um die erste Etappe auf dem Wege zur staatlichen Einigung aller Deutschen zurückzulegen! Noch liegen die weiteren Etappen außerhalb unseres Vermögens..."

Parlamentarischer Rat. Sten. Ber. der 2. Sitzung des Plenums, 8. Sept. 1948, S. 8 ff. In diesem Auszug wurden wegen des Gedankengangs die ersten beiden Absätze umgestellt.

Abg. Theodor Heuss (FDP):

20 b „Wir sind gegenüber der Wirklichkeit illusionslos geworden, wir alle... sind durch die Schule der Skepsis hindurchgegangen. Aber wenn wir nur illusionslos sind und wenn wir nicht ein Stück Glauben auch für diesen neuen Beruf mitbringen, dann verliert unser Handwerk von seinem Beginn an die innere Würde...

Wir weichen dabei dem Wort ‚Verfassung‘ aus und wir sagen sehr oft zu dem, was wir machen wollen, ‚provisorisch‘... Wir begreifen dieses Wort ‚provisorisch‘ natürlich vor allem im geographischen Sinne, da wir uns unserer Teilsituation völlig bewußt sind, geographisch und volkspolitisch. Aber strukturell wollen wir etwas machen, was nicht provisorisch ist..., auch etwas, was eine gewisse Symbolwirkung hat,... so daß wir den Besatzungsmächten, daß wir auch den Leuten im deutschen Osten sagen: Wir sind nun eben auf einem Wege begriffen, dessen Ende noch nicht erreicht ist.

Ich bin in Sorge, ob nicht das, was in Herrenchiemsee vorgeschlagen wurde, dieses Gebilde aus diesen politisch-psychologischen Gründen ‚Bund deutscher Länder‘ zu nennen, etwas sehr Zufälliges hat. Wir sollen keine Angst haben vor der Magie des Wortes. Ich würde bitten, in die Diskussion hereinzunehmen, daß wir uns heute einfach ‚Bundesrepublik Deutschland‘ nennen, weil damit schon eine starke moralische Attraktion für die jungen Menschen mit drinsteckt, die in diesem „Bund deutscher Länder‘ ja nur ein Ausweichen vor sich sehen. Das wird auch im deutschen Osten verstanden werden."

Parl. Rat, Sten. Ber. der 3. Sitzung des Plenums, 9. September 1948, S. 41

Abg. Theodor Heuss (FDP):

20 c „Die Sache mit der Bundesrepublik Deutschland stammt nicht von mir persönlich, sondern von einem meiner Freunde. Das steht auch in den Ellwanger Vorschlägen. Mit diesem Worte ‚Deutschland‘ geben wir dem Ganzen ein gewisses Pathos, was ‚deutsche Länder‘, ‚Union‘ und was auch ‚Deutsche Republik‘ nicht hat. Das Wort ‚Deutschland‘, in sich ruhend, bekommt dann etwas Pathos sentimentaler und nicht machtpolitischer Art."

Parl. Rat, Ausschuß für Grundsatzfragen, Sten. Ber. der 7. Sitzung am 6. Oktober 1948,
masch. Übertragung, S. 37

Abg. Carlo Schmid (SPD):

20 d „Aus politischen Gründen ist es wohl notwendig, dem Gebilde, das im Westen Deutschlands geschaffen werden soll, einen Namen zu geben. Es wird wohl nicht genügen, es lediglich mit einer ‚Bezeichnung‘ zu versehen. Nomina sunt omina. Wenn wir den Leuten im Osten nicht sagen können, daß wir irgendwie heißen, werden sie beim Blick zu uns herüber das Gefühl haben, ins Leere zu blicken.

Die Frage ist nun: Wie findet man einen Namen, der die Realität genau ausdrückt, der nicht zuwenig und nicht zuviel sagt? Ein Name, der irgendwie gedeutet werden könnte als Name für ein separates Gebilde, in dem auch nur das Wort ‚westdeutsch‘ vorkäme, wäre von vornherein ein Unglück. Es muß ein Name gewählt werden, bei dem das Gesamtdeutsche in der Natur dieses Gebildes ganz klar zum Ausdruck kommt; aber dieser Name muß in einen Zusammenhang gestellt werden, aus dem sich klar ergibt, daß unser Werk nicht den Anspruch erhebt, Gesamtdeutschland zu sein. Es muß sichtbar werden, daß es nach wie vor die politische und konstitutionelle Realität ‚Deutsche Republik‘ gibt, und daß das Gebilde im Westen eine durch die Zeit bedingte, räumlich und substantiell beschränkte Erscheinungsform dieser Deutschen Republik ist. Ob man das alles durch einen adäquaten Namen decken kann, scheint mir zweifelhaft..."

Parl. Rat, Ausschuß für Grundsatzfragen, Sten. Ber. der 8. Sitzung am 7. Oktober 1948,
masch. Übertragung, S. 2

Aus der Diskussion in der 10. Sitzung des Ausschusses für Grundsatzfragen am 13. Oktober 1948:

21 „*Dr. Schmid (SPD):* ... Mir erschien nachts im Traum ein Brief mit dem Briefkopf ‚Bundesrepublik Deutschland‘. Freilich könnte da einer darauf kommen zu sagen: ‚Bundesrepublik Deutsch-

land, westliches Rumpfgebiet', um so das Fragmentarische zum Ausdruck zu bringen...
[Diese Punkte sind handschriftlich in das maschinenschriftliche Protokoll korrigiert.]

Dr. Heuss (FDP): Für die Gestaltung von Briefköpfen sind wir hier nicht zuständig. Aber wenn das Kind getauft wird, muß sein Name eine attraktive Wirkung haben, die allgemein verstanden wird.

Dr. Schmid (SPD): Das soll in dem Grundwort von der Bundesrepublik Deutschland zum Ausdruck kommen.
...

Abg. Renner (KPD): Der Name wird wesentlich von der Entwicklung des kommenden Staates abhängen. Ich bin der Meinung, der Name des Kindes, das da geboren werden soll, gehört in die Präambel hinein... Nun ist es eine Streitfrage, ob man im Hinblick auf den strittigen Auftrag [erg. „in Form eines Befehls der Besatzungsmächte"] das Kind, das hier geboren werden soll, schon als ‚Deutsche Republik' bezeichnen kann... [Es] handelt... sich hier um einen Teil der Deutschen Republik...

Abg. Zinn (SPD): ...Wir sollten davon ausgehen, daß die staatliche Ordnung, die wir schaffen, die Ordnung der Bundesrepublik Deutschland ist, auch wenn heute noch Gebiete fehlen.

Dr. Schmid (SPD): Diesen Anspruch wollen wir gerade erheben.
...

Dr. Heuss (FDP): ...Die Frage der Bezeichnung wird sich von selber regeln, indem man... die Mächtigkeit des Anspruchs anmeldet, der stellvertretend für das Gesamte ist. Die ganze Präambel wäre Lüge und Selbstbetrug, wenn wir uns nicht stellvertretend als Vollstrecker eines geschichtlichen Auftrags ansehen würden. Deshalb sollten wir auch nicht allzuviel von ‚vorläufig' reden. Die Menschen gerade im Osten sollen daran glauben können, daß wir sie hier mit repräsentieren. Wir werden vielleicht auf einen Namen kommen, wie etwa ‚Republik Deutschland (West)'.

Dr. Schmid (SPD): Ich möchte doch dafür plädieren, am Anfang der Präambel nicht nur von ‚Deutschland', sondern von der ‚Bundesrepublik Deutschland' zu sprechen. Es ist richtig: Man macht eine Verfassung nicht für Staatsrechtler, und eine Präambel im besonderen macht man für das Volk. Aber wir können nicht verhindern, daß die Staatsrechtler aus von uns gewählten Worten Konsequenzen ziehen, die unter Umständen recht erhebliche politische Wirkungen haben können. Ich denke da vor allem an ausländische Staatsrechtler, an Justitiare fremder Regierungen, die daraus Konsequenzen ziehen könnten, die uns nicht angenehm sein können. Wir sollten alles vermeiden, was zu solchem gefährlichen Spiel Anlaß geben könnte. Aus allen diesen Gründen möchte ich mich für die präzisere Bezeichnung aussprechen.

. . .

Dr. Weber (CDU): Ich vertrete auch die Meinung des Herrn Dr. Heuss, daß wir einfach ‚Bundesrepublik Deutschland‘ sagen sollten. Wir müssen die Bezeichnung klarstellen, sonst sind Mißverständnisse, gerade auch in Berlin, unvermeidlich..."

Parl. Rat, Sten. Ber. der 10. Sitzung am 13. Oktober 1948, S. 34 f., 40—43

Aus der Sitzung des Plenums des Parlamentarischen Rats nach Abschluß der ersten Arbeiten am 20. Oktober 1948: [4]

22 *„Abg. Dr. Schmid (SPD):* ...Wir wollen durch dieses Grundgesetz keinen separaten westdeutschen Staat schaffen, sondern wir wollen lediglich die Grundnorm für das Gefüge des organisatorischen Aufbaus schaffen, in dem das gesamtdeutsche Staatswesen, das durch Auflagen, die von außen kommen, an der vollen Selbstverwirklichung verhindert ist, heute in Erscheinung zu treten vermag. Es kann es heute nur als Fragment... Und dieser organisatorische Aufbau kann nur auf einem Teil des deutschen Staatsgebietes verwirklicht werden...

Abg. Dr. Süsterhenn (CDU): ...[Ich bin] der Meinung, daß wir doch die Frage aufwerfen müssen, ob es mit den Gesetzen der politischen Logik zu vereinbaren ist, etwas, was wir alle nur in diesem eingeschränkten Sinn als Provisorium betrachten, bereits mit dem Namen des Definitivums auszustatten. Logischer wäre es zweifellos, den provisorischen Charakter des jetzt geschaffenen Gebildes auch in einer provisorischen Bezeichnung zum Ausdruck zu bringen, um das große Endziel, das große Endideal Deutschland und auch die Bezeichnung dafür dem Gebilde vorzubehalten, das tatsächlich alle deutschen Länder umfaßt, auch diejenigen deutschen Länder, die nicht zu den elf Ländern der westlichen Besatzungsgebiete gehören...

Wenn wir uns schon einmal dazu entscheiden, diesem neuen Gebilde die Definitivbezeichnung zu geben, müssen wir von der CDU allerdings den Standpunkt vertreten, daß der Name ‚Deutsches Reich‘ sachlich nicht das deckt, was jetzt hier das Licht der Welt erblicken könnte. Der Begriff des Reiches, wie er 1000 Jahre in der deutschen Geschichte gelebt hat, war der Begriff eines übernationalen, eines

[4] Vgl. Ernst Reuters Stellungnahme im Parlamentarischen Rat am 20. Oktober 1948 in: H. J. Reichhardt u. a. (Hgb.): Berlin, Bd. 4,2, S. 2028—2031

europäischen Gebildes. Es war die Bezeichnung für das christliche Abendland. Und wenn ich den Begriff ‚Reich‘ einmal in die moderne Sprache der gegenwärtigen Politik übersetzen wollte, müßte ich das, was man damals ‚Reich‘ genannt hat, heute europäische Union oder europäische Konföderation nennen. Wir müssen daher Gebilde, die diesen Charakter der übernationalen europäischen Völkergemeinschaft tatsächlich nicht tragen, entsprechend bezeichnen... Der historische Begriff ‚Reich‘, der vom Bismarck-Reich, von der Weimarer Republik — ich will vom Dritten Reich überhaupt nicht reden — zu Unrecht geführt worden ist, vermag nicht das zu decken, was wir hier sein werden, nämlich die nationalstaatliche Zusammenfassung nur eines begrenzten Teils der in Mitteleuropa gesiedelten Deutschen.

Wir müssen daher zu einem anderen Ausdruck kommen. Jedoch bekennen wir uns nicht zu dem Ausdruck ‚Republik Deutschland‘, sondern ausdrücklich zu dem Ausdruck ‚Bundesrepublik Deutschland‘. Wir wollen einen föderalen Staat schaffen... Da alle bundesstaatlichen Gebilde diesen ihren Charakter in ihre Bezeichnung aufgenommen haben, sollten wir die föderalistische Organisation unseres Staatswesens auch in der Bezeichnung zum Ausdruck bringen, die wir dem neuen deutschen Staatsgebilde oder staatsähnlichen Gebilde geben, indem wir uns grundsätzlich zur ‚Bundesrepublik Deutschland‘ bekennen.

Wir sind uns darüber im klaren, daß wir uns hinsichtlich des deutschen Freiheitsstatus in einer Entwicklung befinden... Als Endpunkt der politischen Entwicklungslinie steht das Ziel, das in der Potsdamer Erklärung verkündet worden ist...: dem deutschen Volke Gelegenheit zu bieten,... nach angemessener Zeit... einen Platz unter den freien, friedliebenden Nationen der Erde einzunehmen.

Daß wir dieses Endziel... noch nicht erreicht haben, darüber sind wir uns im klaren. Aber daß wir hier in Bonn auf dem Wege zu diesem Ziele begriffen sind,... darüber sind wir uns auch alle einig... Aber die Schnelligkeit darf nicht erzielt werden auf Kosten der Gründlichkeit. Es ist das Schicksal jedes Provisoriums, daß es die Neigung hat, sich zu einem Definitivum auszuwachsen... [Wir wollen] dem deutschen Volk ein Haus... bauen, das zwar noch den Charakter des Provisorischen oder des Erweiterungsfähigen an sich trägt, dessen Fundamente aber nach unserer Überzeugung auf dem ewigen Felsgrund des göttlichen Sittengesetzes errichtet werden müssen.

Abg. Dr. Heuss (FDP): ... Wir *müssen* in dieses Grundgesetz oder in diese verfassungsmäßige Rechtsordnung eine Präambel hineinbringen, schon um den exzeptionellen Charakter, der diesem Grund-

gesetz anhaftet, irgendwie sichtbar... werden zu lassen... Aber...
wir [haben], wie wir Deutschen nun einmal sind, die Geschichte
etwas zu pedantisch und systematisch angefaßt... [Auch] ist nun
jene Überlastung mit Geschichte entstanden... Das liegt mit daran,
daß wir uns unbewußt... auch schon bei der Aufzählung dieser...
Punkte nicht immer an den gleichen Adressaten gewandt haben. Wir
haben uns mit der einen Pointe an das gesamte deutsche Volk, mit
der anderen an das westdeutsche, mit der dritten an das ostdeutsche
Volk gewandt. Wir haben uns dann irgendwie an die Besatzungsmächte gewandt und denen gegenüber eine bestimmte Haltung
markiert. Wir haben ein bißchen noch an die kommenden Rechts-
und Verfassungshistoriker gedacht... Durch die Überdeutlichkeit...
haben wir der Präambel etwas von der Würde des Bleibenden ge-
raubt, die in ihr sein muß. Man kann das romantisch oder anders
nennen. In der Theologie gibt es das Wort von dem ‚Numinosen‘,
von dem, was das Geheimnisvolle, das Zeichenhafte ist. Und etwas
Numinoses muß in einer Präambel drin sein; um Gottes willen nicht
in der ganzen Verfassung, denn dann verunklart es die Rechtsdinge,
aber gehobene Sprache, feierlicher Duktus der Sprache, Kadenz der
Sätze. Die Präambel muß eine gewisse *Magie des Wortes* besitzen...
Das Numinose flieht aber vor einer Ortsbezeichnung wie Bonn, vor
einer Datumsbezeichnung wie dem 1. September 1948 und vor der
Bezeichnung ‚Parlamentarischer Rat‘. ‚Parlamentarischer Rat‘ ist
eine ganz nette Bezeichnung; aber sie ist doch eigentlich eine historische Notiz und markiert nur die geschichtliche Situation. Das alles
ist ohne das Sakrale (Abg. Dr. Schmid: So heilig sind wir auch
nicht!), es ist einfach ein technischer Vorgang. Wir fixieren hier einen
historischen Augenblick, und mit dieser harten Fixierung verderben
wir das Schwebende und Dauernde, das in diesen Dingen mit sein
muß...

[Ich schlage vor,] unter Ausscheidung der Aktualität der Zeit- und
Ortsbezeichnung die Gesichtspunkte lebendig zu halten, die uns allen
gemeinsam waren... Ich habe die Besatzungsmächte mit Bewußtsein
draußen gelassen und nur von der Machtlage gesprochen. Ich habe
mit Absicht neben den Begriff ‚Grundgesetz‘ den der ‚verfassungsmäßigen Rechtsordnung‘ gestellt, um ein größeres Pathos hineinzu-
bringen. Ich habe mit Absicht den Begriff der Stellvertretung, gegen
den man auch den Ausdruck des Treuhänderischen vertauschen kann,
mit in diesen Vorschlag hereingenommen...

Wir sind heute... von der Rezeption des historischen Begriffs ‚*Reich*‘
so weit entfernt, daß wir auf ihn verzichten. Das Reich hat sachlich
in seiner seelischen Greifkraft aufgehört im Jahre 1648, nicht 1806
und nicht 1870... Im ganzen glaube ich..., daß wir [versuchen

müssen], den Akzent des Feierlichen zu sichern. Das muß gelingen, ohne daß wir in die Sprüche und in die Illusionen geraten ...

Abg. Renner (KPD): ... Es ist auch sehr bezeichnend, hier und in den Ausschüssen die Auseinandersetzungen darüber mitzuerleben, welchen Namen man dem Kinde geben soll, ob man dem Kinde eventuell noch einen Beinamen oder Nachnamen geben sollte — wie etwa ‚Westdeutschland‘ oder ‚Restdeutschland‘. All das ist sehr zu beachten, und es ist sehr interessant, das zu beachten. Aber eines steht fest: Diese Verfassung, die Sie sich hier geben, ist die Verfassung für einen separaten föderalistischen Weststaat. Sie wollen nicht sagen ‚Weststaat‘. Alles Gerede ändert aber nichts an der Tatsache, daß Sie ihn praktisch schaffen.

(Abg. Dr. Schmid [SPD]: Und der Oststaat?) ... “

Parl. Rat, Sten. Ber. der 6. Sitzung des Plenums, 20. Oktober 1948, S. 71, 74—76, 78

Aus der Diskussion im Hauptausschuß des Parlamentarischen Rates am 11. November 1948:

23 „*Dr. Suhr (SPD):* ... Daß ... das Wort ‚Groß‘ vor ‚Berlin‘ gestrichen [wurde] ..., entspricht auch der neuen, noch nicht genehmigten Berliner Verfassung. Wir Berliner sind bescheiden geworden, wir fühlen uns nicht groß. Aber ich mache darauf aufmerksam, daß nach der Anordnung der Berliner Kommandantur staatsrechtlich von Groß-Berlin zu sprechen ist ... Herrn Renner gegenüber möchte ich betonen, daß die Berliner Vertreter Vertreter von ganz Berlin und nicht von West-Berlin sind ...

Renner (KPD): Es hat keinen Zweck, sich in diesem Kreis weiter über die Problematik der Angelegenheit auszulassen, ob die Vertreter Berlins Gesamt-Berlin vertreten und ob sie hier mit Willen des Berliner Volkes sitzen. Das ist eine Frage, über die in diesem Kreis wohl keine Einigung herbeizuführen ist. Aber ich weise auf den Widerspruch zwischen der Symbolik auf der einen Seite und der ziemlich realen Politik hin, die von der anderen Seite gemacht wird. Wenn man verlangt, den Berliner Vertretern auch das Recht der Abstimmung einzuräumen, dann steht das in einem etwas eigenartigen Gegensatz zu der bisherigen politischen Linie dieser Berliner Vertreter; denn diese haben meines Wissens immer mit Stolz herausgestellt, daß sie anstreben, Berlin wieder zur Hauptstadt Gesamtdeutschlands zu machen. Wenn sie sich in dieses Parlament des separaten Westdeutschland eingliedern, dann geben sie damit ihren berechtigten, vom deutschen Volk wirklich geteilten Anspruch auf, daß Berlin wieder einmal, und zwar möglichst bald, die Hauptstadt Zentraldeutschlands wird ... Dann werden sie also nichts mehr als

Vertreter der Berliner Westsektoren in einem separaten westdeutschen Staat. Das ist die Konsequenz ihrer Haltung, die darauf
hinausläuft, das Abstimmungsrecht zu verlangen..."

H. J. Reichhardt u. a. (Hgb.): Berlin, Bd. 4,2, S. 2031, 2033

Den „Groß-Berlin"-Anspruch verdeutlichte eine Kontroverse zwischen
Renner (KPD) und Jakob Kaiser (CDU) während der Lesung des Wahl-
gesetz-Entwurfs; Renner bezog sich auf:

24 „die von Herrn Dr. Carlo Schmid... vorgeschlagene und akzeptierte Fassung: ‚Falls in einem Bezirk des Bundesgebietes infolge
höherer Gewalt nicht gewählt werden kann, bleiben die entsprechenden Mandate unbesetzt.' Ich habe als Rheinländer, besonders in der
Fastnachtszeit, Sinn für Humor, aber so kann man doch nicht eine
hochnotpeinliche außenpolitische Aktion vornehmen. Herr Kollege
Dr. Schmid, Sie haben, bestimmt ohne das zu ahnen und vielleicht
sogar ohne es zu wollen, hier den Ostsektor von Berlin für den westdeutschen Bundesstaat annektiert. So geht das nun nicht.
(Zuruf: Der gehört doch zu Groß-Berlin.)
— Der Ostsektor — machen wir uns doch hier nichts vor, wir sind
doch schließlich keine kleinen Kinder — gehört nun einmal nicht zu
den Berliner Westsektoren, und wir haben hier kein Recht, von uns
aus festzustellen, ob und wie in diesem Ostsektor gewählt werden
soll.
(Zuruf des Abg. Kaiser.)
— Glauben Sie, daß wir das Recht haben, Herr Kaiser?
(Abg. Kaiser: Jawohl, das haben wir.)
— Wer ist ‚wir'? Wir in diesem Gremium?
(Abg. Kaiser: Wir alle!)
— Nein, nein; so geht das nun nicht, Herr Kollege Kaiser..."

Parl. Rat, Sten. Ber. der 8. Sitzung des Plenums am 24. Februar 1949, S. 166

Aus den abschließenden Diskussionen im Parlamentarischen Rat

25 „Berichterstatter Abg. Dr. Schmid (SPD) als Vorsitzender des
Hauptausschusses: ...Der Hauptausschuß hat bewußt davon
abgesehen, auf den bisherigen politischen und staatsrechtlichen Namen Deutschlands zurückzugreifen... Der Hauptausschuß schlägt
Ihnen den Namen ‚Bundesrepublik Deutschland' vor. In diesem
Namen kommt zum Ausdruck, daß ein Gemeinwesen bundesstaatlichen Charakters geschaffen werden soll, dessen Wesensgehalt das
demokratische und soziale Pathos der republikanischen Tradition
bestimmt...
Der Geltungsbereich des Grundgesetzes erstreckt sich vorläufig auf
die elf Länder der westlichen Besatzungszonen und auf Groß-Berlin.

Wir sind mit letzterem bewußt über die Londoner Empfehlungen hinausgegangen. Die Legitimation für dieses Verhalten glaubten wir in der geschichtlichen Notwendigkeit zu finden und in dem Anspruch des Volkes von Berlin auf jede Unterstützung materieller und moralischer Art in seinem Freiheitskampf. Mag diese Bestimmung des Grundgesetzes von den Besatzungsmächten suspendiert werden — das Wissen der Deutschen in Berlin und hier um ihre Zusammengehörigkeit wird stärker sein als alle Staatsräson. (Beifall.)
Das Anwendungsgebiet des Grundgesetzes ist nicht ‚geschlossen‘. Jeder Teil Deutschlands kann ihm beitreten. Aber auch der Beitritt aller deutschen Gebiete wird dieses Grundgesetz nicht zu einer gesamtdeutschen Verfassung machen können. Diese wird es erst dann geben, wenn das deutsche Volk die Inhalte und Formen seines politischen Lebens in freier Entscheidung bestimmt haben wird…
Präsident Dr. Adenauer (CDU): …Dann darf ich noch auf einen Druckfehler in der Präambel aufmerksam machen. Dort finden Sie ‚Groß-Berlin‘ verzeichnet. ‚Groß-Berlin‘ muß gestrichen werden; Berlin kommt an anderer Stelle.
(Abg. Renner [KPD]: Ei, ei, das ist im Gegensatz zu den Ausführungen von Herrn Carlo Schmid. Das unterstreicht das wieder: Der kalte Krieg wird eingestellt!)…"

Parl. Rat, Sten. Ber. der 9. Sitzung des Plenums am 6. Mai 1949, S. 172, 174

Auf den Wunsch der CDU/CSU-Fraktion, „in der Flaggengestaltung, in dem Flaggenbild, das Zeichen des Kreuzes zu verankern, das uns ein Symbol der abendländischen Kultur in Jahrhunderten der Geschichte der Menschheit gewesen ist" (Abg. Dr. Lehr), antwortete mit Hinweis auf den Weimarer Flaggenstreit:

26 „*Abg. Dr. Bergstraesser (SPD):* …Was hat denn eigentlich der politischen Entwicklung des deutschen Volkes so sehr geschadet?
Das war doch die Tatsache, daß breite Teile des deutschen Volkes es nicht fertiggebracht haben, gefühlsmäßige Dinge und die Wirklichkeit voneinander zu trennen,… ihre Gefühle zurückzudrängen, gerade dort, wo es nun einmal notwendig ist, und die politischen Fragen sachlich anzusehen."

Parl. Rat, Sten. Ber. der 10. Sitzung des Plenums am 8. Mai 1949, S. 227

27 „*Abg. Dr. Menzel (SPD):* …Ausgangspunkt unserer Arbeit, die im September des Vorjahres begann, war, durch ein Grundgesetz eine einheitliche Organisation Westdeutschlands zu schaffen, das heißt, den Grad von verfassungsmäßiger Verwaltung für dieses Gebiet zu erreichen, den wir Deutsche heute unter einer Besatzung überhaupt erreichen können. Wegen der fehlenden Souveränität mußte die Schaffung einer Verfassung im althergebrachten Sinne unterbleiben; dies auch um deswillen, weil das, was dereinst östlich der Oder und Neiße wieder deutsch sein wird, vorläufig noch fehlt und weil Millionen Deutsche der Ostzone bei unserem Beginnen zwangsweise abseits stehen müssen..."

Parl. Rat, Sten. Ber. der 10. Sitzung des Plenums, 8. Mai 1949, S. 203

Aus dem Begleitschreiben der Militärgouverneure zum Besatzungsstatut vom 10. April 1949 an den Parlamentarischen Rat:

28 „Die Außenminister haben in Washington die Frage einer Deutschen Bundesrepublik (Federal German Republic) nach allen Gesichtspunkten hin erwogen... Mit der Errichtung der Deutschen Bundesrepublik (German Federal Republic) werden die Militärregierungen, als solche aufhören zu bestehen... Bevor jedoch die weitreichenden Entwicklungen, die sie [erg. die Außenminister] im Auge haben, in Gang gesetzt werden können, ist es wesentlich, daß der Parlamentarische Rat zu einer Einigung über das Grundgesetz für die Deutsche Bundesrepublik (a Basic Law for the German Federal Republic) kommt."

Zit. nach Verordnungsblatt Britische Zone (VoBlBZ) 1949, S. 416, in: Grundgesetz für die Bundesrepublik Deutschland mit Besatzungsstatut ... Textausgabe, München — Berlin (Beck) ⁴1950, S. 66 f.

Aus der Satzung der Alliierten Hohen Kommission für Deutschland vom 20. Juni 1949:

29 „Art. I, 1. Zur Ausübung der Obersten Alliierten Regierungsgewalt in der Bundesrepublik Deutschland (Federal Republic of Germany) wird hiermit eine alliierte Hohe Kommission... eingesetzt...
Art. III, 3 (III.). Es besteht Einverständnis darüber, daß die Deutsche Bundesrepublik (German Federal Republic) am Abkommen für Europäische Wirtschaftliche Zusammenarbeit... teilnehmen... wird...
Art. IX. Organisationen... der Vereinten Nationen können in der Bundesrepublik Deutschland (Federal Republic of Germany)... tätig werden..."

Zit. nach VoBlBZ 1949, S. 403 ff., in: Grundgesetz für die Bundesrepublik Deutschland mit Besatzungsstatut ..., Textausgabe, München — Berlin (Beck) ⁴1950, S. 78—97

Über Hintergründe bei der endgültigen Zustimmung der USA zur Bildung eines westdeutschen Staates unterrichten Erinnerungen von Militärs und Diplomaten, die mehr oder weniger daran beteiligt waren. *Der damalige US-Militärgouverneur in Deutschland, General Lucius D. Clay,* berichtete über die Vorbereitungen für Gespräche mit einem Ausschuß des Parlamentarischen Rates am 25. April 1949 in Frankfurt/M.:

30 a „In meinen Diskussionen mit [erg. den aus Washington ein-
getroffenen Beratern] fand ich heraus, daß sie ebenfalls ohne Anweisungen waren. [Sonderbotschafter] Murphy sagte, daß bei mir die volle Entscheidungsgewalt liege, und er fühlte (he felt), daß unsere Regierung die schnelle Bildung einer westdeutschen Regierung wünsche, und daß man hoffe, dies könne verwirklicht werden, ohne Entscheidendes der föderalistischen Struktur zu opfern. Ich verstand nicht, warum unsere Regierung es so eilig hatte, weil ich nichts von den Jessup-Malik-Verhandlungen wußte, bei denen binnen kurzem die Aufhebung der [Berliner] Blockade und der Beginn des [Vier-mächte-] Außenminister-Treffens in Paris am 23. Mai vereinbart wurde. Ich wünschte, daß der Parlamentarische Rat seine Arbeit schnell vollendete, da ich glaubte, eine weitere Verzögerung würde nur den Kommunisten helfen... [An der Frankfurter Sitzung] nah-men Vertreter von Berlin nur als Beobachter und nicht als Ange-hörige des deutschen Ausschusses teil (Representatives from Berlin attended as observers and not as participant members of the German committee)."

Lucius D. Clay: Decision in Germany, Garden City, N.Y., 1950, S. 433

Der damalige Leiter des Planungsstabs im State Department der USA, George F. Kennan, beklagte die Entwicklung im Winter 1948/49:

30 b „Die führenden politischen Köpfe Westdeutschlands waren...
mit der Ausarbeitung einer Verfassung für den neuen west-deutschen Staat beschäftigt... Im Verlauf der Wochen und Monate nahmen die Dinge immer mehr den Charakter des Endgültigen, Unwiderruflichen an, und die Vorstellung, das Erreichte um eines weiter gespannten internationalen Abkommens willen aufzugeben oder zu gefährden, erschien immer weniger annehmbar. Wieder ein-mal wurde, wie so oft in der amerikanischen Diplomatie, ein als Mittel zum Zweck entworfener Plan nach und nach zum Selbst-zweck. Was als Hilfsmaßnahme einer bestimmten Politik gedacht war, wurde statt dessen ihre Determinante."

⁴*1968, S. 426 f.*
George F. Kennan, Memoiren eines Diplomaten (Memoirs 1925—1950, 1967), dt. Stuttgart

Die Konzeption des damaligen Außenministers der USA, Dean Acheson, läßt sich aus General Clays Bericht über Gespräche vom Mai 1949 er-schließen:

30 c „Als ich nach Washington zurückgekehrt war, hatte ich zwei
lange Unterhaltungen mit Acheson. Ich fand ihn nicht nur **völlig** über die Bedingungen in Deutschland informiert, sondern

ebenso entschlossen, keinerlei Übereinkunft mit den sowjetrussischen Vertretern zu erreichen, die jene Position beeinträchtigen würde, die wir in Europa erreicht hatten. Ich glaubte, daß die Pariser [Außen- minister-] Konferenz sowohl das Ende der Blockade bestätigen als auch die Verhandlungen über Handelsaustausch zwischen Ost- und Westdeutschland vorantreiben werde. Ich befürchtete, daß die so- wjetischen Vertreter die Errichtung einer gesamtdeutschen Regierung entsprechend unseren Bedingungen annehmen würden, so daß sie von innen an ihrer Zerstörung arbeiten könnten, und ich war glück- lich, daß es nicht dazu kam. Sobald die freien Länder Europas in der Lage sind, sich selber zu verteidigen, wird ein stabiles Europa ein vereinigtes Deutschland ermöglichen."

Lucius D. Clay, a. a. O., S. 439; vgl. J. E. Smith (Hgb.): The Papers of General Lucius D. Clay. Germany 1945—1949. Vol. II, Nr. 735, S. 1151 f.

„Deutschland" in der Einleitungsformel des BGG. Der Rechtswissenschaft- ler v. Mangoldt, der im Parlamentarischen Rat als Mitglied der CDU Vor- sitzender des Ausschusses für Grundsatzfragen gewesen war, berichtete:

31 „Zu den eindruckvollsten Erinnerungen aus den Beratungen um den Namen gehört, wie es zu der Hinzufügung dieses Wor- tes gekommen ist. Als in jenen Tagen im Ausschuß für Grundsatz- fragen der von dem Verfassungsausschuß von Herrenchiemsee gemachte Vorschlag ‚Bund deutscher Länder'... erörtert und der Be- deutung der Frage entsprechend mit weiteren Kreisen der Bevölke- rung Fühlung aufgenommen wurde, war nicht ohne Bewegung fest- zustellen, wie tief der Begriff ‚Deutschland' im Volke verwurzelt ist und wie stark der Ruf insbesondere aus Kreisen der Jugend ertönte, das Wort ‚Deutschland' nicht zu vergessen. Wenn unter dem Ein- druck dieser Strömungen der Name schließlich seine heutige Form gewann, so ist sich der Gesetzgeber wohl bewußt gewesen, daß es unter dem Druck der Verhältnisse zunächst noch nicht möglich sein werde, dem Grundgesetz für ganz Deutschland Wirksamkeit zu ver- leihen. Trotzdem wurde an der Fassung festgehalten, und zwar aus folgenden Gründen: Sie soll ein Bekenntnis zur Einheit Deutschlands sein. Sie soll aber auch... zum Ausdruck bringen..., daß die neue Bundesrepublik mit dem alten Reich [der Weimarer Republik] iden- tisch ist und nicht nur im Verhältnis der Rechtsnachfolge zu ihm steht."

Von Mangoldt: Das Bonner Grundgesetz. Kommentar, 1. Lieferung (1951), S. 26 f.

Vor wirklichkeitsfremdem Gebrauch der Bezeichnung „Deutschland" warnte der Rechtswissenschaftler und damalige Bayerische Staatsminister für Unterricht und Kultus, Theodor Maunz:

32 „Wenn aber geltend gemacht wird, durch das Wort ‚Deutschland' im GG sollte die Einheit von West und Ost und die Identität mit dem alten Reich kundgetan werden, so dürfte das auf einer Selbsttäuschung über die sprachlichen Wirkungsmöglichkeiten beruhen."

Th. Maunz, Deutsches Staatsrecht. Ein Studienbuch,
München — Berlin 10*1961, S. 55; vgl. S. 145;* 21*1977, S. 62;*

„Deutschland" und die Bundesrepublik Deutschland im positiven Staatsrecht:

33 „‚Deutschland' ist heute so wenig wie früher ein staatsrechtlicher, sondern nur ein geographischer und politischer, gegenwärtig wohl auch ein völkerrechtlicher Begriff. Das positive Staatsrecht kennt nur das westdeutsche Bundesstaatswesen und das mitteldeutsche Staatswesen... ‚Es gibt also genau genommen keine Bundesrepublik ‚Deutschland', sondern nur eine westdeutsche Bundesrepublik in Deutschland' (Giese, Grundgesetz, 4 S. 8)."

Von Mangoldt — Klein, Das BGG, 2*I, S. 28*

Die Anfänge einer eigenständigen Deutschland-Politik

Wegen der gesamtdeutschen Ansprüche der Bundesrepublik Deutschland wurde ihr Verhältnis zur SBZ (erst 7. 10. 49 DDR) und zu Berlin als „innerdeutsches Problem" (36, vgl. 65) und als Frage der „Volksgesinnung" (34) aufgefaßt. Äußerungen führender Vertreter der CDU, die aus der SBZ geflüchtet waren (34—35), sowie der SPD (36—37) verraten, und zwar auch im Sprachgebrauch, welche Fülle von Hoffnungen, Bedenken und Forderungen die ersten Versuche zur Verwirklichung der Ansprüche geprägt hat. Aus den unterschiedlichen Mehrheitsverhältnissen im Deutschen Bundestag (SPD als Opposition) und im Berliner Abgeordnetenhaus (SPD stärkste Partei) ergab sich, daß die SPD von Anfang an die Berlin-Bindungen stark betonte (36—37). Demgegenüber beharrten die Westmächte auf ihren Positionen („Deutsche Bundesrepublik", unterschieden von den „Westsektoren Berlins", im September 1950, s. D 38).
Im Widerspruch gegen die Oder-Neiße-Regelung zwischen der DDR und Polen stimmten alle Nichtkommunisten im Deutschen Bundestag mit der Bundesregierung überein (39a).
Das damalige Ausmaß an Ernüchterung bei ehemaligen Nationalsozialisten (38) sollte nicht übersehen werden; Vergleiche der Äußerungen von Emigranten (11) mit nationalen Forderungen im Deutschen Bundestag (etwa Arndt, SPD, 1952, s. D S. 49, Anm. 9) sind reizvoll.

Aus der ersten Kabinettsvorlage des ersten Bundesministers für Gesamtdeutsche Fragen, Jakob Kaiser (CDU), vom Herbst 1949:

34 „Die Arbeit des Ministeriums soll der Pflege und Förderung einer Volksgesinnung dienen, die zu einer einheitlichen politischen Willensbildung, dem Willen zur Einheit der Nation in Freiheit führt."

Zit. von Maria Stein in: „Deutsche Zeitung / Christ und Welt", 27. August 1971, S. 3

Bedenken und Hoffnungen bei geflüchteten führenden Mitgliedern der CDU der SBZ angesichts der westlichen Staatsgründung. Ernst Lemmer, der 1957 bis 1962 Bundesminister für Gesamtdeutsche Fragen war, berichtete:

35 „Meine nächsten Freunde standen gleich mir... der Gründung der Bundesrepublik mit bangen Zweifeln gegenüber. Wir hatten diese Zweifel auch noch, als die Bundesrepublik Vertragspartner der ehemaligen Kriegsgegner im Westen geworden war... Bei diesen Auseinandersetzungen um die Deutschlandfrage hatten wir... die Befürchtung, daß durch Militärbündnisse mit dem Westen bei gleichzeitiger Einbeziehung der Sowjetzone in ein östliches Bündnissystem die Wiederherstellung eines geeinten deutschen Staates noch weiter erschwert würde. Wir sind nicht ohne Sorge über diese Skrupel hinweggekommen...

Das Ministerium für Gesamtdeutsche Fragen ist eine Schöpfung Jakob Kaisers; er allein gab ihm Aufgabe und Bestimmung. Im engsten Freundeskreis des Parlamentarischen Rates wurde darüber bereits während der Verhandlungen über das Grundgesetz gesprochen. (Die heutige Bundesrepublik wurde ja von Anfang an lediglich als ein Provisorium betrachtet, das den nicht von den Sowjets beherrschten Teil unseres Landes umfassen sollte.)

Es gab viele Widerstände zu überwinden. Dem Verdacht einer separatistischen Staatsgründung unter dem Protektorat der westlichen Besatzungsmächte sollte von vornherein klar begegnet werden. Kaiser beharrte auf seinem Standpunkt, sonst hätte er sich an der in Aussicht stehenden Kabinettsbildung nicht beteiligt...

Adenauer hatte seinen Kurs für die gesamtdeutsche Politik, die von ihm positiv gemeint war, nach der Situation festgelegt, die bei Bildung der Bundesrepublik und in den nachfolgenden Jahren bestanden hatte; er wollte die Realität der Bundesrepublik auf keinen Fall auch nur irgendwie dadurch gefährden, daß er einmal etwas anderes versuchte. Es war bedrückend, daß wir auf diesem Gebiet nicht nur nicht weitergekommen waren...; auf dem internationalen Feld war unsere Bewegung eher rückläufig geworden" [gemeint: Anfang 1959].

E. Lemmer, Manches war doch anders, S. 331, 358 f.

Kurt Schumachers (SPD) Sprachgebrauch nach der Gründung der Bundesrepublik Deutschland. In seiner Antwort als Oppositionssprecher auf die erste Regierungserklärung des Bundeskanzlers Konrad Adenauer (CDU) sagte er am 21. September 1949 im Deutschen Bundestag:

36 „Wir brauchen kein besonderes Ostministerium. Wir brauchen auch nicht ein Staatssekretariat beim Bundeskanzler. Wir brauchen eine Abteilung beim Innenministerium, die die Fragen im Verkehr zwischen Bundesrepublik und der Ostzone zu behandeln hat... Wir sollten dadurch manifestieren, daß das Verhältnis der Deutschen Bundesrepublik zur sowjetischen Besatzungszone ein innerdeutsches Problem ist...

Wenn wir die Frage der deutschen Einheit diskutieren, dann können wir an der Frage Berlin nicht vorübergehen... Die besondere Finanzhilfe für Berlin... muß zu einem festen Bestandteil im Etat der Deutschen Bundesrepublik gemacht werden... Man darf doch nicht vergessen, daß man den Kampf der Berliner nicht für die Deutsche Bundesrepublik zu Buche schreiben kann und dann, wenn eigene kleine Interessen auf dem Spiel stehen, Berlins Lebensnotwendigkeiten irgend etwas zu verweigern..."

Nach der Veröffentlichung des Parteivorstands der SPD wiedergegeben in: J. Hohlfeld, Dokumente der Deutschen Politik und Geschichte von 1848 bis zur Gegenwart, Berlin o. J., Bd. VI, S. 400

Willy Brandt: „Berlin wieder Hauptstadt." Für den bevorstehenden Bundestagswahlkampf kommentierte Brandt die Berlin-Forderungen des Dortmunder „Aktionsprogramms der SPD" vom 28. September 1952:

37 „Die SPD hat sich immer darauf gestützt, daß Berlin nach deutschem Willen und nach dem Wortlaut des Grundgesetzes eines der Länder der Bundesrepublik ist. Davon muß die deutsche Politik ausgehen, nicht von den Vorbehalten der alliierten Mächte... Die SPD ist sich darüber im klaren, daß sich aus dem formalen Weiterbestehen der Viermächte-Vereinbarungen über Berlin besondere Probleme ergeben. Diese Sonderlage kann jedoch nichts daran hindern, daß der Bund für Berlin in jeder Hinsicht mit eintreten muß. Das gilt insbesondere auch für die Wahrnehmung gemeinsamer Anliegen gegenüber den alliierten Mächten und anderen Faktoren der auswärtigen Politik... Die SPD wird den Kampf um das einheitliche Deutschland mit Berlin, in Berlin und für Berlin verstärkt weiterführen."

Vorstand der SPD, Bonn (Hgb.): Handbuch sozialdemokratischer Politik, Bonn 1953, S. 18 f.

Der Historiker und „Exfaschist" Otto Westphal († 15. Februar 1950) wollte „verhindern, daß ein ‚Neufaschismus' ausgebrütet wird". Deshalb mahnte er 1949:

38 „Über die Frage der Wiederherstellung oder Nichtwiederherstellung der deutschen Einheit darf es unter gar keinen Umständen zu einem dritten Weltkrieg kommen… Um es ganz hart… zu sagen…: Schlesien und Ostpreußen, diese Hauptkleinodien deutscher Kultur, deren Wiedergewinn mit friedlichen Mitteln für jeden Deutschen noch einmal ein Nationalfest sein würde, sind keinen dritten Weltkrieg wert.

Auch die Agitation und Propaganda sollte sich noch rechtzeitig danach bemessen. Glaubt eine deutsche Regierung wirklich, daß, wenn sie, ohne einen Soldaten hinter sich zu haben, von Bonn mit Moskau wie von Gleich zu Gleich sprechend, die Oder-Neiße-Linie an den Pranger stellt, damit irgend etwas anderes erreicht wird, als daß sich Stalin sagt: Je lauter man sie am Rhein fordert, desto bestimmter verweigere ich sie? Wenn Moskau *vielleicht* von *sich* aus einmal bereit sein könnte, dann gewiß nicht bei dem Anschein, als ob es dabei einer Weisung Bonns gehorchte. Das ist kein Umgang mit der Macht…

Und wenn der Eiserne Vorhang heute aufginge? Was würde geschehen? Würden sich nicht die Herren Pieck und Adenauer und erst recht die Herren Schumacher und Pieck alsbald aufeinanderstürzen, und während die *Welt* Frieden hielte, gäbe es nur an *einer* Stelle Krieg: den deutschen Bürgerkrieg? Der Vorhang darf erst aufgehen, wenn es hüben und drüben eine Gesinnung gibt, die die Zwischenstellung Deutschlands in ihr Gewissen aufgenommen hat. Das ist eine ungeheure Aufgabe. Solange wir dagegen mit der deutschen Einheit befürchten müssen, nichts anderes anfangen zu können, als sie in Gestalt eines deutschen Bürgerkrieges in Erscheinung treten zu lassen, möge ein gnädiges Schicksal sie verborgen halten.

Dagegen kann, wenn überhaupt, der deutsche Osten mit dem deutschen Westen nur dann wieder vereinigt werden, wenn eine *universale Friedensatmosphäre* eingezogen ist… [Deswegen ist] die Herstellung eines positiven Verhältnisses zwischen Asien und Amerika durch europäische Vermittlung wichtig."

Otto Westphal, Weltgeschichte der Neuzeit 1750—1950. Stuttgart 1953, S. 11, 399 f.

„Erklärung des Bundeskabinetts vom 9. Juni 1950":

39 a „Die derzeitige kommunistische Regierung, die der Bevölkerung der Sowjetzone aufgezwungen wurde, hat in einem Vertrage mit der polnischen Regierung die Festlegung der Oder-

Neiße-Linie als endgültige Grenze zwischen Deutschland und Polen garantiert. Die Regierung der deutschen Bundesrepublik erkennt diese Festlegung nicht an. Die sogenannte Regierung der Sowjetzone hat keinerlei Recht, für das deutsche Volk zu sprechen. Alle Abreden und Vereinbarungen sind null und nichtig.

Die Entscheidung über die zur Zeit unter polnischer und sowjetischer Verwaltung stehenden deutschen Ostgebiete kann und wird erst in einem mit Gesamtdeutschland abzuschließenden Friedensvertrage erfolgen. Die deutsche Bundesregierung als Sprecherin des gesamten deutschen Volkes wird sich niemals mit der allen Grundsätzen des Rechts und der Menschlichkeit widersprechenden Wegnahme dieser rein deutschen Gebiete abfinden.

Die Bundesregierung wird bei künftigen Friedensverhandlungen für eine gerechte Lösung dieser Frage zwischen einem wirklich demokratischen Polen und einem demokratischen Gesamtdeutschland eintreten."

Hohlfeld, Dokumente, Bd. VI, S. 493 f.

Aus dem „Abkommen zwischen der DDR und der Republik Polen über die Markierung der festgelegten und bestehenden deutsch-polnischen Staatsgrenze", Görlitz, 6. Juli 1950:

39 b „Der Präsident der DDR und der Präsident der Republik Polen, geleitet von dem Wunsch, dem Willen zur Festigung des allgemeinen Friedens Ausdruck zu verleihen, und gewillt, einen Beitrag zum großen Werk der einträchtigen Zusammenarbeit der friedliebenden Völker zu leisten,

in Anbetracht, daß diese Zusammenarbeit zwischen dem deutschen und dem polnischen Volk dank der Zerschlagung des deutschen Faschismus durch die UdSSR und dank der Entwicklung der demokratischen Kräfte in Deutschland möglich wurde — sowie gewillt, nach den tragischen Erfahrungen aus der Zeit des Hitlersystems eine unerschütterliche Grundlage für ein friedliches und gutnachbarliches Zusammenleben beider Völker zu schaffen,

geleitet von dem Wunsch, die gegenseitigen Beziehungen in Anlehnung an das die Grenze an der Oder und Lausitzer Neiße festlegende Potsdamer Abkommen zu stabilisieren und zu festigen, ...

in Anerkennung, daß die festgelegte und bestehende Grenze die unantastbare Friedens- und Freundschaftsgrenze ist, die die beiden Völker nicht trennt, sondern einigt —

haben beschlossen, das vorliegende Abkommen abzuschließen ...

Art. 1. Die Hohen Vertragschließenden Parteien stellen übereinstimmend fest, daß die festgelegte und bestehende Grenze ... die Staatsgrenze zwischen Deutschland und Polen ist ..."

Hohlfeld, Dokumente, Bd. VI, S. 491 f.

III. Demokratischer Legalismus angesichts des Primats der Sicherheitspolitik in Europa (1955—1966)

Zwei Prozesse, die nach dem Willen der Besatzungsmächte voneinander abhängig waren, hatten bis Frühjahr 1955 die Entwicklung der Bundesrepublik geprägt: die sektoren- und schrittweise Westintegration sowie das Gewähren eines größeren Ausmaßes an staatlicher Souveränität. Der militärische Bereich wurde als letzter integriert. Die Bindungen an NATO und WEU überlappten sich und sicherten besonders den Einfluß der USA. Alle entscheidenden Fragen der Deutschland-Politik blieben den drei Westmächten vorbehalten (D 57, vgl. P 3). Die UdSSR hatte zuvor vergeblich die Entscheidung der Bundesrepublik für die Aufrüstung im Rahmen der Westintegration zu verhindern versucht (D 55, 65). Die Bundesregierung hat ihre deutschlandpolitische These bei der Gründung der Europäischen Wirtschaftsgemeinschaft (EWG) vertraglich verankert (42 a, vgl. 97 Art. 7, 101: 9 a sowie 105 a).

Bundeskanzler Adenauer trug wenig später mit Unterstützung aller Fraktionen des Deutschen Bundestages in Moskau den Führungen von KPdSU und UdSSR ihre Grundsätze der Deutschland-Politik vor (40—42). Sie widersprachen der Zwei-Staaten-These, wie die SED sie vertrat: Um der Nation willen sollte über eine Konföderation von Bundesrepublik und DDR die Wiedervereinigung erreicht werden (43, vgl. D 68). Es sei dahingestellt, ob die distanzierte Art, in der die diplomatischen Beziehungen der Bundesrepublik zur UdSSR gestaltet wurden, lediglich gewählt wurde, um den Rapallo-Komplex bei den Westmächten zu bekämpfen.

Seit Spätherbst 1956 wurde der demokratische Legalismus der offiziellen Deutschland-Politik kritisiert (44, vgl. 60). Allerdings wirkte sich dies ein Jahrzehnt hindurch nicht oder kaum in den Stellungnahmen jener Parteien aus, die im Bundestag vertreten waren, und ebensowenig in der Politik der Bundesregierungen. Die Kritik wurde durch Vergleiche von Worten und Taten der Großmächte immer wieder angeregt: Vor allem die zurückhaltenden Reaktionen der Westmächte auf die Ereignisse in Ungarn 1956 (gleichzeitiges Vorgehen gegenüber Ägypten!) und am 13. August 1961 in Berlin (49, 51, vgl. D 83) sowie die konsequente Zwei-Staaten-Deutschland-Politik der UdSSR (58, vgl. D 55, 65, 72) wurden beachtet. In den periodisch wiederkehrenden Auseinandersetzungen vor den Wahlen zum Deutschen Bundestag zeigte sich das. 1960/61 spielte dabei die „Wendung der SPD" (Godesberger Programm 1959, Herbert Wehners Bundestagsrede am 30. Juni 1960) eine Rolle. Bereits Monate vor dem Bau der Berliner Mauer war von diesem Stichwort die Rede (47a). Zur Kritik an der Sprachregelungs-Politik traten Diskussionen über die grundsätzlichen Fragen der Bundesrepublik Deutschland, über mögliche Zielkonflikte ihrer Deutschland-Politik und über die notwendige Anpassung an veränderte Umstände (49—52) hinzu. Als entscheidend stellte sich heraus, wie die Politik der

UdSSR beurteilt wurde (vgl. D 92). Im Wahlkampf 1965 wurden die Auseinandersetzungen verstärkt aufgegriffen (53).

Im Zusammenhang mit der seit 1961 eingeschränkten westlichen Position in Berlin wurde dabei Ende 1963 erstmalig deutlich, daß außer einer legalistischen Deutschland-Politik der Bundesrepublik auch ein anderes Vorgehen praktizierbar war. Dabei wurden alle Statusfragen und alle einander ausschließenden Ansprüche ausgeklammert; vgl. das erste Berliner Passierschein-Abkommen des Berliner Senats unter dem Regierenden Bürgermeister und SPD-Vorsitzenden Willy Brandt (D 86).

Die Position gegenüber der UdSSR

Aus der Grundsatzerklärung des Bundeskanzlers Adenauer in Moskau am 9. September 1955:

40 „Es ist eine erste offizielle Begegnung zwischen den Repräsentanten der Sowjetunion und des deutschen Volkes... Meine erste Aufgabe sehe ich darin, Ihnen ein Bild von der Grundhaltung zu machen, die das politische Verhalten des deutschen Volkes und seiner Regierung bestimmt, von den Triebkräften und Motiven, von den letzten Zielen, die uns leiten. Das oberste Gut, das es für alle Deutschen zu wahren gilt, ist Friede...

Wir sind, glaube ich, darin mit Ihnen einig, daß die Teilung Deutschlands eine unerträgliche Lage schafft, und daß die Einheit Deutschlands wiederhergestellt werden muß... Ich weiß, daß ich auch und vor allem in dieser Frage für alle Deutschen spreche, wenn ich Sie bitte, einer raschen Lösung dieses Problems alle Kraft zu widmen. Sie haben sich im Vollzug jener [Sieger-]Verantwortung mit den drei Westmächten zur Behandlung auch dieses Problems in Genf verabredet. Es ist nicht meine Absicht, das Verfahren, das zur Einheit führen soll, dadurch zu verwirren, daß ich einen von den Viermächte-Verhandlungen unabhängigen zweiseitigen Verhandlungsweg eröffne... Wenn die vier Mächte den Weg freigemacht haben, wird dem deutschen Volke die Aufgabe zufallen, in freier Selbstbestimmung und im Bewußtsein seiner Verantwortung für die Schaffung gutnachbarlicher Verhältnisse in Europa und für die Festigung des Friedens in der Welt das Haus des gesamtdeutschen Staates nach innen und außen auszustatten... Die Teilung Deutschlands ist abnorm, sie ist gegen göttliches und menschliches Recht und gegen die Natur. Ich kann es auch nicht nützlich finden, mit ihr als einer ‚Realität‘ zu argumentieren, denn das Entscheidende, was daran real ist, ist die Überzeugung aller, daß sie nicht von Bestand bleiben kann und darf... Wir müssen diesen gefährlichen Krisenherd ausräumen, an dem sich die Leidenschaften leicht entzünden können, und rechtzeitig Vorsorge treffen, daß ein elementares Bedürfnis des deutschen Volkes befriedigt wird. Ich kenne den Einwand, daß ein wiedervereinigtes Deutschland eine Gefahr für die Sowjetunion sein könnte. Lassen Sie mich darauf zunächst antworten, daß es — nach übereinstimmender Auffassung aller Vertragspartner des Deutschland-Vertrags, das sind die Bundesrepublik, die Vereinigten Staaten von Amerika, Großbritannien und Frankreich — Sache einer völlig freien Entscheidung der gesamtdeutschen Regierung und des gesamtdeutschen Parlaments sein muß, ob und welchem Bündnissystem sie sich anschließen: Wenn die Sowjetunion als Folge der Wiedervereinigung Deutschlands eine Beeinträchtigung ihrer Sicherheit erwarten sollte, so sind wir durchaus bereit, das Unsrige dazu zu tun, an einem auch diese Besorgnisse ausräumenden Sicherheitssystem mitzuarbeiten... Ein unmittelbarer Kontakt zwischen beiden Regierungen wird sicher dazu beitragen, zu genaueren, die wechselseitigen Realitäten richtig erkennenden und bewertenden Urteilen zu kommen..."

Bundesministerium für gesamtdeutsche Fragen (Hgb.): Die Bemühungen der Bundesrepublik zur Wiederherstellung der Einheit Deutschlands durch gesamtdeutsche Wahlen. Dokumente und Akten, II. Teil, Bonn, 2. Aufl. 1958, S. 221—224

Vorbehaltserklärung des Bundeskanzlers der Bundesrepublik Deutschland an den Ministerpräsidenten der UdSSR vom 14. September 1955:

41 „1. Die Aufnahme der diplomatischen Beziehungen... stellt keine Anerkennung des derzeitigen beiderseitigen territorialen Besitzstandes dar. Die endgültige Festlegung der Grenzen Deutschlands bleibt dem Friedensvertrag vorbehalten.

2. Die Aufnahme diplomatischer Beziehungen mit der Regierung der Sowjetunion bedeutet keine Änderung des Rechtsstandpunktes der Bundesregierung in bezug auf ihre Befugnis zur Vertretung des deutschen Volkes in internationalen Angelegenheiten und in bezug auf die politischen Verhältnisse in denjenigen deutschen Gebieten, die gegenwärtig außerhalb ihrer effektiven Hoheitsgewalt liegen."

Die Bemühungen..., Teil II, S. 237

Aus der Presseerklärung des Bundeskanzlers in Moskau am 14. September 1955[5]:

42 „Es sind zwischen der Regierung der Sowjetunion und uns keine irgendwie gearteten geheimen Abkommen oder Verabredungen irgendwelcher Art getroffen worden. Es ist während der Verhand-

---

[5] „Im Jahre 1955 hatte Bundeskanzler Adenauer [in Moskau] bekanntlich nicht unerhebliche

lungen auch nicht das Ansinnen an uns gestellt worden, daß wir uns von unseren westlichen Vertragsverpflichtungen — Westeuropäische Union und NATO — abkehren sollten."

Die Bemühungen . . . , Teil II, S. 238

Die „Deutschlandklausel" im „Protokoll über den innerdeutschen Handel" zum „Vertrag zur Gründung der Europäischen Wirtschaftsgemeinschaft" (EWG), unterzeichnet in Rom am 25. März 1957:

42 a „1. Da der Handel zwischen den deutschen Gebieten innerhalb des Geltungsbereichs des Grundgesetzes für die Bundesrepublik Deutschland und den deutschen Gebieten außerhalb dieses Geltungsbereichs Bestandteil des innerdeutschen Handels ist, erfordert die Anwendung dieses Vertrages in Deutschland keinerlei Änderung des bestehenden Systems dieses Handels."

W. Cornides u. a. (Hgb.): Die Internationale Politik 1956/57: Die Begegnung mit dem Atomzeitalter. München 1961, S. 374.

Schwierigkeiten mit den westlichen Alliierten, vor allem galt dies für den wichtigsten unter ihnen, den amerikanischen Botschafter Bohlen. Da ich mit Bohlen seit Jahrzehnten befreundet war, bekam ich damals seine scharfe Reaktion auf Adenauers Entscheidung einer Aufnahme voller diplomatischer Beziehungen mit der Sowjetunion sehr deutlich zu hören; zudem war Bohlen der Meinung, er und seine beiden Kollegen würden von deutscher Seite nicht ausreichend informiert. Das scheint jetzt anders zu sein.
Ich habe gestern den derzeitigen US-Botschafter Beam besucht . . . und von ihm gehört, daß die deutsche Delegation die drei westlichen Botschafter sehr genau auf dem laufenden hält . . . und daß die Verhandlungen der Deutschen und Russen laufend mit den drei Westmächten abgesprochen werden." (Klaus Mehnert, In Moskau — vor dem Abschluß, in: „Christ und Welt", 7. August 1970, S. 3)

Ein nationaler Köder der SED?

43 „Abwegig ist es…, eine im Verhältnis zwischen Bundesrepublik
und Deutscher Demokratischer Republik ausgesprochene Anerkennung müsse… die Wirkung haben, ‚dieses Verhältnis aus einem
staatsrechtlichen in ein völkerrechtliches und damit aus einem nationalen in eine internationales zu verwandeln'. …Ein völkerrechtliches Verhältnis ist… nicht notwendig ein internationales Verhältnis. Völkerrechtliche Beziehungen sind zwar in jedem Fall zwischen-
staatliche Beziehungen. Da aber Staat und Nation nicht identisch zu
sein brauchen, sollte man die Begriffe ‚zwischenstaatlich' und ‚international' nicht gleichsetzen. Es gibt eine deutsche und eine koreani-
sche Nation, aber beide Nationen sind z. Z. in zwei Staaten gespalten.
Zwischen diesen Staaten bestehen — wenn überhaupt — völkerrechtliche Kontakte. Diese Kontakte sind aber nicht internationaler,
sondern *nationaler* Art…
[Wäre es] absolut unzulässig…, die Deutsche Demokratische Republik und die Bundesrepublik im Einvernehmen mit dem Effektivi-
tätsprinzip als das anzuerkennen, was sie nun einmal sind, als Teilstaaten einer Nation [?] Dabei wäre diese Anerkennung nicht das
Trennende, sondern gerade das Einende, denn in ihr läge die Bereitschaft zur gleichberechtigten Aussprache, zur Verhandlung über einen
völkerrechtlichen Zusammenschluß als Fundament der erstrebten
staatsrechtlichen Einheit.
Die Deutsche Demokratische Republik hat mit ihrem jüngsten Vorschlag einer Konföderation der beiden deutschen Staaten erneut
einen gangbaren Weg zur Wiedervereinigung gewiesen. Ihn zu be-
schreiten und nicht durch wirklichkeitsfremde Konstruktionen künst-
liche Barrieren gegen die Kontaktaufnahme zwischen Ost und West
zu errichten, gebietet das nationale Gewissen."

*Michael Kohl, Mehrstaatlichkeit Deutschlands und Wiedervereinigung. Bemerkungen zu
einer Studie Prof. Dr. Krügers, Hamburg, in: Deutsche Akademie für Staats- und
Rechtswissenschaft „Walter Ulbricht" und Deutsches Institut für Rechtswissenschaft (Hgb.):
Staat und Recht, Jg. VI (1957), S. 843, 852
Michael Kohl wurde als Staatssekretär beim Ministerrat der DDR der Verhandlungsleiter
gegenüber der Delegation der Bundesregierung (vgl. 90) und nach Inkrafttreten des
Grundlagen-Vertrags im Juni 1973 der erste Leiter der „Ständigen Vertretung" der DDR
bei der Bundesregierung (vgl. 97, Art. 8).*

Die Auseinandersetzungen um Ziele und Wege der Deutschland-Politik vor und seit dem Bau der Berliner „Mauer". Die Beurteilung der sowjetrussischen Politik als das Entscheidende

Die Aufrufe des „Kuratoriums Unteilbares Deutschland" kommentierte der Historiker Johann Albrecht von Rantzau:

44 „Während Gleichgültigkeit gegenüber dem gesamtdeutschen Schicksal und die gefühlsbedingte Abneigung, den Verzicht auf die polnisch verwalteten Gebiete als Preis für die Vereinigung mit den 17 Millionen zwischen Elbe und Oder zu erwägen, Haltungen breiter Volksschichten sind, wirken in begrenzteren Kreisen andere Bedenken einer aktiven Ostpolitik entgegen. Das ist der in der Regierung... verbreitete *demokratische Legalismus*. Aus ihm entspringen zwei Tabus in der Bundesrepublik, die einer ernsthaften Diskussion im Wege stehen. Da ist einmal das dogmatische Beharren auf ‚Freien Wahlen' als dem Ausgangspunkt der Wiedervereinigung. Ferner birgt ernste Schwierigkeiten unsere Weigerung in sich, unter keinen Umständen das Pankower Regime, die Deutsche Demokratische Republik, wie es sich nennt, anzuerkennen...

Man will auf deutschem Boden keine Diktatur als verhandlungsberechtigte Staatsform anerkennen, und man will mit ihr nicht in diplomatischen Verkehr treten. Allerdings unterhält man diplomatische Beziehungen zu Franco [Spanien], zu Syngman Rhee [Südkorea], zu Nasser [Ägypten], um nur einige Diktatoren zu nennen. Man sagt, nebenbei bemerkt, nicht gern, daß diese Diktatoren akzeptabler sind, weil sie sich zu kapitalistischen Wirtschaftsformen bekennen...

Auf die Dauer gesehen, wird verhandelt werden müssen. Sonst wird entweder der Wiedervereinigungswille versanden oder sich auf den Weg gewaltsamer Abenteuer begeben..."

J. A. v. Rantzau, Volksbewegung für Wiedervereinigung und westdeutsche Tabus,
„Deutsche Rundschau" 1958, Heft 1, S. 22—24

Seit Herbst 1958 benutzte die UdSSR erneut — wie 1948 angesichts der westlichen Initiative zur Gründung eines westdeutschen Staates — die westliche Position in Berlin, um Entwicklungen zu verhindern, die ihr unerwünscht waren: die „modernste", also atomare, Ausrüstung der Bundeswehr (D 67, 70 f.). Chruschtschow forderte, *West*berlin unter Garantie der *vier* Mächte zu einer entmilitarisierten Freien Stadt umzugestalten (D 72—78). Für diesen Plan konnte die UdSSR von den Vorbehalten der Westmächte gegen die völlige Eingliederung Berlins in den Geltungsbereich des BGG ausgehen. Derartige kommunistische Forderungen wurden im Westen öffentlich heftig bekämpft. Auch wegen dieser neuen Berlin-Krise schien es nicht möglich zu sein, daß eine — vergleichsweise — anspruchslosere Deutschland-Politik der Bundesrepublik offiziell vertreten wurde — wäre sonst nicht allzu leicht Westberlin der UdSSR preisgegeben worden? Weil diese Konsequenz eines Kurswechsels drohte, war jahrelang kein Dialog zwischen den Anhängern unterschiedlicher Meinungen über den „richtigen" Kurs möglich. Tatsächlich hatten sich jedoch die Regierungen der Westmächte sowie die NATO von Ansprüchen und Rechtspositionen der Bundesrepublik distanziert. In den USA trat der Wandel seit Beginn der Präsidentschaft Kennedys Anfang 1961 deutlich zutage. Die Garantien bezogen sich ausdrücklich auf die existierenden Fakten in bezug auf Westberlin (D 79). Nach dem Mauerbau wurden auch der Öffentlichkeit die neuen Positionen der engsten Verbündeten der Bundesrepublik Deutschland bekannt (49, vgl. D 83). Welche Folgerungen mußten sich aus dieser Entwicklung sowohl für die Bundesrepublik Deutschland als auch für die UdSSR und die DDR und deren Deutschland-Politik ergeben?

„Ein freies Ostdeutschland ohne politische Vereinigung mit der Bundesrepublik" forderte der Philosoph **Karl Jaspers** im Sommer 1960. Kritikern antwortete er:

45 „Ich höre, gegen die von mir vorgetragenen Auffassungen zur Wiedervereinigung lasse sich nicht einfach protestieren; sie seien menschlich unanfechtbar, aber politisch irreal.

Was ist politisch real? In diesem Fall das Begehren vieler Deutscher und allgemein verbreitete Vorstellungen. Soweit aber Realitäten in Vorstellungen und Willenstendenzen, im politischen Bewußtsein, liegen, lassen sie sich ändern. Psychologisch lassen sie sich durch Propaganda ändern oder befestigen, nämlich durch ständige Wiederholung, durch den Ton der Selbstverständlichkeit, durch Erweckung unbewußter Gefühle. Solche Propaganda, die größte psychologische Macht der Welt heute, ist selber nicht Wahrheit... Wirksame Verbreitung der Wahrheit kann für Wahrhaftigkeit nur auf vernünftiger Einsicht, nicht auf psychologischen Manipulationen beruhen. Für die Einsicht wird die sachliche Propaganda selber zur Verbreitung der Gründe, zum Bekanntmachen von Tatsachen und Sinnmöglichkeiten. Dann wird die bloß psychologische Propaganda durchschaut. Der vernünftige Mensch wird gegen sie immun... Konfuzius, der große chinesische politische Denker, erklärte für das erste Erfordernis eines dauerhaften Staatswesens die Richtigstellung der Namen. Das heißt: die Dinge sollen als das benannt werden, was sie sind, nicht benannt werden als das, was sie nicht sind... Das Grundgesetz der Bundesrepublik ist als Provisorium für ein vorläufiges Staatswesen gemeint. Entweder soll man es geradezu so nennen. Oder man soll mit Erkenntnis des Tatbestandes aus dem Willen, nicht ein Provisorium zu sein, das Grundgesetz in allem ändern, was faktisch das Provisorium bedeutet.

Es wäre die Frage, ob nicht auch der Name ,Bundesrepublik Deutschland' geändert werden sollte. Der Name klingt zwar einfach. Wie leicht aber sagt man ,Deutsche Bundesrepublik', womit man unbewußt der russischen Weise der Zweistaatentheorie verfällt; die andere [Republik] heißt ja ,Deutsche Demokratische Republik', ein lügenhafter Name. Vor allem aber enthält der Name ,Bundesrepublik Deutschland' den Anspruch auf Wiedervereinigung. Wahrer und einfacher wäre ,Westdeutschland' für die Bundesrepublik und für den möglichen zukünftigen zweiten Staat ,Ostdeutschland' (analog zu Österreich, dem östlichen Reich) für das Gebiet, das bis dahin Sowjetzone heißt, weil es annektiertes Gebiet und kein Staat ist.

,Mitteldeutschland' hießen früher einmal geographisch die deutschen Lande zwischen Norden und Süden, die Gebirgslandschaften vom Rheinischen Schiefergebirge bis Oberschlesien... Jetzt soll das Wort für die Sowjetzone gelten, das Land zwischen dem Westen (Bundesrepublik) und den Territorien östlich der Oder-Neiße-Linie, die nicht mehr deutsches Gebiet sind. Dieser Name spricht nun keine geographische und staatliche Realität aus, sondern eine Forderung nach Heimkehr und Neubesiedlung der einst deutschen Lande jenseits der Oder-Neiße-Linie. Als ob man durch eine andere Sinngebung des alten sinnvollen Wortes, durch eine Wortmagie etwas bewirken könnte! Man bewirkt nur eine irreale Vorstellung und tut etwas, was der ,Richtigstellung der Namen' bedarf.

Sollte bei einer Weltlage, in der die territorialen Teilungen Deutschlands unwesentlich geworden wären, dann West- und Ostdeutschland zu einem Staate werden, dann bliebe für dies Ganze der Name Deutschland bereit, den zur Zeit die Bundesrepublik Deutschland für sich als provisorischer Platzhalter für das Ganze fälschlich beansprucht: eine Provokation, die im Grundgesetz fixiert ist.“

Karl Jaspers: Freiheit und Wiedervereinigung. Über Aufgaben deutscher Politik,
München 1960, S. 78—80

Zur allgemeinen Kritik an Jaspers bemerkte der Publizist Conrad Ahlers:

46 „Jaspers hat keinen Grund, sich über die ‚Empörung‘, die das
ihm ‚Selbstverständliche‘ ausgelöst hat, zu wundern. ....Nur in
der Hinnahme der gegenwärtigen weltpolitischen Lage in Sachen
der deutschen Einheit befindet er sich in Übereinstimmung mit den
herrschenden Kräften seines Volkes. Seine Begründung dafür, daß
man die Wiedervereinigung abschreiben müsse, wie seine weiter-
gehenden Folgerungen, wir sollten auch die Oder-Neiße-Grenze
akzeptieren, mußte ihn in einen scharfen Gegensatz zu denen bringen, die er an seiner Seite wähnte.
Diese Begründung lautet: ‚Die Besinnung verlangt die Anerkennung
der Folgen eines Krieges, für dessen Anzettelung durch den Hitler-
Staat und die Durchführung durch die Generale wir als Bürger des
Staates, der dieses tat, haften... Haftung ist nicht Schuld. Ertragen
der Folgen ist nicht Strafe. Man kann sich nicht auf ein Recht (der
deutschen Einheit) berufen, das sich von etwas ableitet, das durch
solchen Krieg unwiderruflich zerstört ist. Die Würde des vernünftigen Menschen liegt darin, daß er sich eingesteht, was geschehen und
was getan ist...‘
Gerade dies aber ist es, was heute weithin in Deutschland geschieht.
Der Denkfehler dieses berühmten Denkers ist einfach: Er sieht in
der Bundesrepublik etwas anderes, als sie ist und sein will. Er sieht
sie als ein Kontrastprogramm nicht nur zur kommunistischen Diktatur in der DDR, sondern auch zur deutschen Geschichte seit 1871,
eben zum Bismarck-Staat, der sich in Weimar und im Dritten Reich
fortsetzte und der ‚unwiderruflich Vergangenheit sei‘. Karl Jaspers
bemerkt nicht, daß diese Bundesrepublik... in Wirklichkeit eine
weitere Fortsetzung des Bismarck-Staates in verkleinertem Maßstab
ist und daß ihre politischen Führer die Wiederherstellung der deutschen Einheit im Sinne Bismarcks betreiben. Womit sie ihr Ziel allerdings selbst in den Bereich des Unwirklichen verbannen.

...

Gegen die moralischen Prinzipien, die Karl Jaspers zur Grundlage
der deutschen Politik machen möchte, kann es keinen Protest geben.
Deutschland und die Welt würden anders aussehen, wenn man sich
in Bonn und Ostberlin daran halten würde. Unser Widerspruch
richtet sich gegen das wirklichkeitsfremde Bild von der Bundesrepublik, in der Karl Jaspers, wie vor ihm Hegel im preußischen Staat,
offenbar das Wirken des Weltgeistes zu spüren scheint, sowie gegen
seine Behauptung, daß die Forderung der Wiedervereinigung die
Befreiung unserer Landsleute in Mitteldeutschland erschwere. Wir

meinen, daß nur durch die Wiedervereinigung eine Änderung der Verhältnisse in der DDR zu erreichen sei.

Allerdings, dies würde voraussetzen, daß die Bundesrepublik von ihrer bisherigen Politik Abschied nimmt, die mehr und mehr an 1871 anknüpft. Dies würde den Willen voraussetzen, das Provisorische der Bundesrepublik im Auge zu behalten und nach einem *neuen* gesamtdeutschen Staat zu streben, der sozialer, liberaler und demokratischer sein müßte als die beiden deutschen Staaten, die aus den Trümmern des Hitler-Reiches hervorgegangen sind. Der Weg dorthin wird aber nicht über den deutschen Einheitsstaat führen, den die Bundesregierung mit ihrer Forderung nach freien Wahlen vorgezeichnet hat, sondern eher über eine deutsche Föderation, die einen Abbau des Ulbricht-Regimes und damit die Freiheit in Mitteldeutschland ermöglichen könnte."

Conrad Ahlers, Hat Jaspers recht? Leitartikel der „Frankfurter Rundschau",
27. August 1960, S. 3

Kontroverse zwischen evangelischen Theologen
Helmut Gollwitzer beklagte den „deutschen Selbstbetrug":

47 a „Der deutsche Selbstbetrug seit 1950 bestand in der Meinung,... der Weg, den man gehen wollte, führe zur Lösung der Aufgabe, die uns aufgetragen war. Daß ein solcher Auftrag unabschiebbar vorhanden war, kann nicht bestritten werden; in ihren Lippenbekenntnissen waren sich alle darin einig, und man braucht sich nur an die Lippenbekenntnisse zu halten, um den Auftrag zu formulieren: Nachdem man sich auf die Gründung der Bundesrepublik eingelassen hatte (ob nicht schon dies ein erster Schritt des Selbstbetrugs war, sei hier nicht diskutiert), galt es, die wirtschaftliche Not zu überwinden, eine Ausdehnung des Totalitarismus, diesmal unter rotem Vorzeichen, nach Westdeutschland zu verhindern, die 17 Millionen Deutschen in der sowjetischen Besatzungszone freizumanövrieren, das ganze deutsche Volk mit seinen westlichen und östlichen Nachbarn auszusöhnen durch den Aufbau eines demokratischen Staatswesens, von dem keine Bedrohung ausging. Das Ganze war, in sich untrennbar, das, was man sollte; die ersten beiden Punkte nennen das, was man mit aller Entschiedenheit wollte; das übrige wünschte man.

Mit der spätestens seit dem Koreakonflikt angebotenen militärischen Westintegration der Bundesrepublik winkte die Erfüllung dessen, was man wollte. Um zugreifen zu können, mußte man sich einreden, dies sei auch der Weg zur Erfüllung des Ganzen, der Lösung der unbestreitbar gestellten Aufgabe. Wer bis fünf zählen konnte, mußte — so sollte man meinen — sehen, daß dies eine Täuschung war, daß eine Wiedergewinnung der Einheit nur unter Zustimmung auch der vierten Besatzungsmacht möglich war, daß sie von dieser als von einer Weltmacht unmöglich erpreßt werden konnte, daß mit dem westlichen Militärbündnis die 17 Millionen endgültig dem Kommunismus preisgegeben waren, daß damit auch die innere Umbesinnung gestoppt, die Aufgabe der Nicht-Bedrohung unerfüllbar geworden war. Die Bundesrepublik als Grenzbastion des Atlantikpaktes und als seine Speerspitze gegen den Osten, das mußte das Ende der gemeinsamen deutschen Geschichte sein und zugleich der Abschied von der geschichtlichen Aufgabe, die in den Lippenbekenntnissen anerkannt worden war und weiterhin anerkannt wurde. Erstaunlich war, daß die Autosuggestion, die der Realität so widersprach, so weitgehend funktionierte und zum Banne der politischen Vernunft wurde, der auch die Opposition sich nur in einzelnen Vertretern entziehen konnte.

Für diesen deutschen Selbstbetrug war noch mehr nötig: man mußte sich nicht nur einreden, daß dieser Weg, auf dem erwünschte Gewinne winkten, zur Lösung der Aufgabe führe, sondern auch, daß er der einzig mögliche, schlechthin notwendige sei. So erst war er vollkommen legitimiert. Dazu war nötig das Bild einer angriffslüsternen Sowjetunion und die Vorstellung vom Kommunismus als dem Ende jeder menschenwürdigen Existenz, der abendländischen Tradition und der christlichen Kirche. Dafür lieferte der Osten mit den Schrecken der ostdeutschen Apokalypse von 1945, mit der Behandlung des Kriegsgefangenenproblems, mit den Abscheulichkeiten des Stalinismus und mit einzelnen politischen Maßnahmen reiches Material... Es lohnt sich, die Frage zu prüfen, ob diese Furcht nicht nur das Mittel zur Legitimation dieses Weges war. Man wollte ihn gehen wegen der hier lockenden Gewinne... Die Frage, ob die sowjetische Politik damit auf die zutreffende Formel gebracht war, mußte unterdrückt und als prokommunistische Erweichung denunziert werden...

Heute ist das Ergebnis am Tage. Es ist eingetreten, was die Befürworter des Weges, den man gehen wollte, prophezeiten: Der Bundesbürger lebt so gut wie noch nie, die Bundesrepublik ist souverän, konsolidiert, eine starke wirtschaftliche und eine immer stärker werdende militärische Macht. Es ist ebenso eingetreten, was die Warner prophezeiten: Die Spaltung ist zementiert, die kommunistische Herrschaft in der DDR fest etabliert, die innere Umbesinnung gedämpft, die alten Geister in neuen Gewändern sind kräftig regsam, die nationale Katastrophe ist perfekt, das Mißtrauen gegen die Deutschen als Gefahr für die anderen unvermindert lebendig. Wieder geht von Deutschland, wenn auch in anderer Gestalt als früher, Gefahr für den Frieden aus...

Die westdeutsche Presse — gleichgeschaltet diesmal auf eine weiche Weise, die ein Meisterstück ist gegenüber den groben Gleichschaltungen der Diktaturen — macht den Bundesbürger nur in vorsichtigen Dosierungen mit dem Fiasko der Wiedervereinigungspolitik vertraut und mahnt ihn, nicht rückwärts gewandt nach Sündenböcken zu suchen, sondern nach vorne zu denken... Die Wahrheit ist: Die Politik, von der man sich im deutschen Selbstbetrug die Wiedervereinigung versprochen hat, ist die Ursache dafür, daß sie nicht erreicht wurde...

Die Kirchen haben die Vorteile des Weges, den die Bundesdeutschen gewählt haben, kräftig mitgenossen... Mit dem Verbot der KPD in der Bundesrepublik sind wir die Auseinandersetzung mit dem Kommunismus losgeworden... Darum wird die Gedankenlosigkeit nicht gestört: ... Man weiß, was der Kommunismus ist, was er immer sein wird, was man von ihm zu erwarten hat und wie man ihm begegnen muß. Die unsympathischen Züge des DDR-Kommunismus liefern erwünschtes Bestätigungsmaterial. Alle geistige Anstrengung erübrigt sich. Wer aber in Berlin seine Situation ausnützt zu Blick und Schritt über die Mauer, der sieht manches, was in die Vorstellungsschablonen nicht hineinpaßt. Er weiß, daß drüben Unwiderrufliches geschehen ist, nicht nur äußerlich. Er lernt, mit Überraschungen zu rechnen. Er nimmt an zwei Welten teil und steht zwischen ihren Divergenzen und Konvergenzen. Ihm vergeht die Gedankenlosigkeit."

Helmut Gollwitzer, Die sich selbst betrügen, in: Wolfgang Weyrauch (Hgb.): Ich lebe in der Bundesrepublik. Fünfzehn Deutsche über Deutschland, List-Bücher Bd. 163, München (Sommer 1960), S. 125—129, 131, 139 f.

Eugen Gerstenmaier (CDU), Präsident des Deutschen Bundestages, antwortete Gollwitzer u. a.:

47 b „Haben die Kirchen im Anblick des von Peking bis Pankow rüde betriebenen Seelenmordes einfach nicht anders gekonnt, als im Lichte des Evangeliums zu derselben Rangordnung christlicher Werte zu kommen, die wir unserer Politik zugrunde gelegt haben, nämlich 1. Freiheit, 2. Friede, 3. Einheit?...

Untragbar ist Gollwitzers Wort von der ‚Preisgabe' der siebzehn Millionen... Das Wort spiegelt die ganze groteske Verkennung unserer historisch-politischen Wirklichkeit und unserer eigenen Möglichkeiten... Preisgabe — das unterstellt still, daß wir die siebzehn Millionen jemals ‚gehabt' und danach abgegeben hätten oder daß es irgendwann in unserem Bewirken, in unserer Entscheidung, in unserer realen Möglichkeit gelegen hätte, sie dem sowjetrussischen Einfluß- und Herrschaftsbereich zu entwinden. Diese Annahme ist eines

der trostlosen Zeugnisse des anscheinend unausrottbaren deutschen Illusionismus, der auch noch in der Demutshaltung Gollwitzers wirksamen Selbstüberschätzung unserer deutschen Fähigkeiten und Möglichkeiten...
Ich bin dafür gewesen, auch auf einige Gefahren hin, es um Deutschlands Einheit willen und zur Dokumentation der Redlichkeit unserer Politik mit den Russen noch weitgehender, als es geschah, zu versuchen. Immer mußte ich dabei die Zurückweisung durch Moskau — und dies in spektakulärer Form — in Rechnung stellen. In keinem einzigen Augenblick bestand eine Wahrscheinlichkeit für den Erfolg solcher Bemühungen. Nach ernster Beschäftigung mit der Weltprogrammatik des Kommunismus und in Vergegenwärtigung der Reaktionen Sowjetrußlands auf den Angriff Hitlers im Sommer 1941 sehe ich nicht, welch anderen Weg wir hätten gehen können als den Weg, den wir eingeschlagen haben.
Ganz anders Helmut Gollwitzer: Er meint, wenn wir es in Bonn nur schlauer, verzichtbereiter (und — versteht sich — weniger freiheitsbesessen) angefangen hätten, dann hätte man es schaffen können!"

Eugen Gerstenmaier: Verschleuderung des christlichen Namens? Eine Disputation mit Prof. Helmut Gollwitzer, in: „Frankfurter Allgemeine Zeitung", 17. November 1960, S. 9

Aus der Erwiderung Gollwitzers:

47 c „Daß die Westmächte... die Neutralisierung Deutschlands nicht erlaubt hätten, ist eine vermutlich richtige und jedenfalls schätzenswerte Bemerkung Gerstenmaiers, geeignet, zur Differenzierung des Weltbildes des westdeutschen Zeitungslesers beizutragen, der ja sonst immer nur zu lesen bekommt, daß einzig die Sowjets unserem Volk das Selbstbestimmungsrecht vorenthalten haben und noch vorenthalten. Daß wir aber erst durch die Pariser Verträge [von 1952/54, vgl. D 57] Handlungsfreiheit gewannen, ist eine Bemerkung, die mit der Mehrdeutigkeit dieses Begriffs spielt; sie trifft zu für die staatsrechtliche Handlungsfreiheit (die sich aber nach den Pariser Verträgen gerade nicht auf die weiterhin den alliierten Mächten vorbehaltenen Wiedervereinigungsprobleme bezieht, was Gerstenmaier unerwähnt läßt), nicht aber für die politische Handlungsfreiheit, wenn darunter verstanden wird, daß wir schon seit Gründung der Bundesrepublik nicht mehr einfach Objekt der westlichen Politik gewesen sind...
Hätten [Gerstenmaier] und viele andere wirklich die Kaltherzigkeit besessen, sich für die militärische Westintegration zu entscheiden,

wenn sie sich damals klar über die nationalen Folgen gewesen wären und nicht die Illusion gehabt hätten, diese ließen sich vermeiden? Das alles sei heute uninteressant, weil nun auch die SPD zustimme [seit Herbert Wehners Rede im Bundestag am 30. Juni 1960 und dem Godesberger Programm von 1959], meint G. ... Daß eine Regierung welcher Partei auch immer jetzt und in Zukunft Politik machen muß von dem Boden derjenigen Tatsachen aus, die von der vorhergehenden Regierung geschaffen worden sind, ist klar, und nicht anders meine ich die sogenannte ‚Schwenkung‘ der SPD verstehen zu sollen. Aber wie dem auch sei, man täusche sich nicht darüber, daß das, was geschehen und versäumt worden ist, nicht vergangen ist. Es schwelt unter der Oberfläche...
Die Frage nach dem vertretbaren Risiko hat große Dimensionen... Es gibt in der Geschichte kein neutral zu kalkulierendes Risiko. Seine Beurteilung hängt in großem Maße ab von dem *Geiste*, der ein Volk oder wenigstens seine führenden Schichten in einer Notzeit beseelt... Wer den Kommunismus als ‚Seelenmord von Peking bis Pankow‘ definiert, der mußte erst recht zum Risiko, auch zum Risiko des Niemandslandes für die so Gefährdeten bereit sein...“

> *H. Gollwitzer, Was denkt sich eigentlich diese unsere Führung? Eine Antwort an den*
> *Bundestagspräsidenten D. Eugen Gerstenmaier, in: „Frankfurter Rundschau“,*
> *14. Dezember 1960, S. 9 (Abdruck von der FAZ abgelehnt)*

Aus den „Richtlinien für die Schreibweise von Namen, die Bezeichnung von Gebieten und Grenzen und die Darstellung der deutschen Grenzen in Karten und Texten“ des Bundesministers für gesamtdeutsche Fragen, Ernst Lemmer (CDU), vom 1. Februar 1961[6]:

48 „A. Orts- und Landschaftsnamen, Gebiets- und Grenzbezeichnungen:

I. Ortsbezeichnungen:

1. Deutschland (in den Grenzen des Deutschen Reiches vom 31. 12. 1937): a) Bei der Bezeichnung aller Orte innerhalb des deutschen Staatsgebietes sind grundsätzlich allein die hergebrachten deutschen Namensformen zu verwenden, auch soweit es gegenwärtig unter fremder Verwaltung steht... Das gleiche gilt grundsätzlich für die innerhalb der Sowjetischen Besatzungszone Deutschlands bzw. im Sowjetsektor von Berlin gelegenen Orte...
2. Freie Stadt Danzig und Memelland: Die Bestimmungen zu 1. gelten entsprechend...

---

[6] Zur Praxis vgl. den amtlichen Briefstempel der Deutschen Bundespost, Postscheckamt Hamburg (de), vom 16. April 1962: „Nachtluftpost — zuschlagfreie Beförderung innerhalb der Bundesrepublik und im Berlin-Verkehr“

3. Übriges Europa: a) Bei allen Orten mit hergebrachten allgemein üblichen deutschen Bezeichnungen sind diese deutschen Namensformen zu verwenden ... b) das gilt insbesondere für geschichtlich begründete, deutscherseits allgemein übliche Ortsbezeichnungen in den vor 1945 allein oder überwiegend von Deutschen besiedelten Teilen der ost- und südosteuropäischen Nachbarländer. [Folgen Beispiele aus dem Sudetenland/ČSSR, Oberschlesien/VR Polen, Siebenbürgen/VR Rumänien.]

III. Bezeichnungen von Staaten und Verwaltungsgebieten:

1. Deutschland (in den Grenzen des Deutschen Reiches vom 31. 12. 1937): Bis zu der dem Friedensvertrag vorbehaltenen endgültigen Regelung ist als deutsches Staatsgebiet das Gebiet des Deutschen Reiches in den Grenzen vom 31. 12. 1937 (also einschließlich aller zur Zeit unter fremder Verwaltung stehenden Gebiete) darzustellen. Demgemäß sind die von diesen Grenzen eingeschlossenen Gebiete wie folgt zu bezeichnen: a) Die ostwärts der Oder-Neiße-Linie liegenden Gebiete in ihrer Gesamtheit als ‚Deutsche Ostgebiete, z. Z. unter fremder Verwaltung‘; b) das nördliche Ostpreußen als ‚Deutsche Ostgebiete, z. Z. unter sowjetischer Verwaltung‘; c) das südliche Ostpreußen und die ostwärts der Oder-Neiße-Linie liegenden Teile von Pommern, Brandenburg, Schlesien und Sachsen als ‚Deutsche Ostgebiete, z. Z. unter polnischer Verwaltung‘; ... d) die Teile der 1945 von der Sowjetunion besetzten Zone Deutschlands zwischen der SBZ-Demarkationslinie und der Oder-Neiße-Linie unter politischem Bezug nur als ‚Sowjetische Besatzungszone Deutschlands‘, abgekürzt ‚SBZ‘...; e) der sowjetisch besetzte Sektor von Berlin unter politischem Bezug als ‚Sowjetsektor‘; im allgemeinen Sprachgebrauch auch als ‚Ostberlin‘; f) das freie Berlin als ‚Berlin (West)‘; g) das Gebiet, das zunächst die Länder Baden-Württemberg, Bayern, Berlin, Bremen, Hamburg, Hessen, Niedersachsen, Nordrhein-Westfalen, Rheinland-Pfalz, Saarland und Schleswig-Holstein umfaßt, nur als ‚Bundesrepublik Deutschland‘...

IV. Bezeichnung von Demarkationslinien innerhalb Deutschlands: ...

B. Grenzdarstellung. 1. Als Staatsgrenze Deutschlands ist bei allen Karten stets die Grenze des Deutschen Reiches nach dem Stande vom 31. 12. 1937 darzustellen. Sie ist stärker als die innerdeutschen Landesgrenzen zu halten. 2. Die Demarkationslinie zur Sowjetischen Besatzungszone Deutschlands ist auf Übersichtskarten nicht als Staatsgrenze... darzustellen... 3. Die Oder-Neiße-Linie ist nicht als Staatsgrenze darzustellen... 4. Die polnisch-sowjetische Demarkationslinie in Ostpreußen ist nicht als Staatsgrenze... darzustellen...“

Archiv der Gegenwart (AdG), 1971, S. 16 495 A

Die westlichen Meinungsverschiedenheiten über die Deutschland-Politik seit dem Bau der „Mauer" wurden im Sommer 1962 der Öffentlichkeit enthüllt. Am 6. Oktober 1961 hat der britische Vertreter — im Einvernehmen mit den USA — in einem NATO-Lenkungsgremium dem Vertreter der Bundesregierung, W. Grewe u. a. vorgeschlagen:

49 „...die Forderung nach Wiedervereinigung Deutschlands durch eine Formel, die die ‚schließliche Wiedervereinigung' (eventual reunification) offenhält, zu ersetzen. Grewe bezeichnete diesen Vorschlag als völlig ‚unannehmbar'..., da er bedeute, daß man... auch auf dem politischen Kerngebiet... nachgibt.

4. Lord Hood hatte... von der ‚Beibehaltung der allgemeinen Beziehung der Stadt Westberlin mit dem Westen' gesprochen. Grewe... führte aus, ...die Formel Lord Hoods [sei] unbefriedigend, weil sie die künftige Eingliederung Westberlins in die Bundesrepublik ausschlösse; wenn den Berlinern gleichzeitig die Hoffnung auf Wiedervereinigung und auf Eingliederung in die Bundesrepublik genommen werde, dann bleibe ihnen nichts mehr übrig als der Ausblick auf die ‚Freie Stadt'.

5. Lord Hood hatte von den ‚zuverlässigen sowjetischen Garantien' gesprochen, die man brauche... Noch in Genf war man sich... 1959 darüber einig, daß es sich nur um die Anerkennung und die Bestätigung des Bestehens der westlichen Besatzungsrechte handeln könne.

6. Am meisten irritiert wurde Grewe... durch die... Forderung, man müsse nun ‚die Autorität der Regierung in Ostdeutschland anerkennen' (‚to respect the authority of the Government in East Germany')...

7. Lord Hood ließ auch keinen Zweifel daran, daß die Anerkennung der Oder-Neiße-Grenze als selbstverständlich vorausgesetzt werde..."

Julius Epstein, Die Quelle des Übels, „Rheinischer Merkur", 31. August 1962, zit. in: „Der Spiegel", 12. September 1962, S. 23. Vgl. AdG 1962, S. 10 099 E f.

Die Oder-Neiße-Linie als Entscheidung der Vergangenheit, die für politische Zukunftsüberlegungen der Bundesrepublik nicht totgeschwiegen werden könne — der Politikwissenschaftler Arnold Bergstraesser mahnte 1961:

50 „Vor allem aber gehört zur Aufgabe des prognostischen Denkens die Arbeit an der richtigen, das heißt der Konstellation entsprechenden Einschätzung der für das Handeln maßgebenden

Prioritäten. Ihre Rangordnung auch im international-politischen Bereich in glaubwürdiger Weise einsichtig zu machen, gehört zu den innenpolitisch wichtigsten Führungsaufgaben des freiheitlichen Rechtsstaates. In den Auseinandersetzungen über die Außenpolitik der Bundesrepublik spielt zum Beispiel die Frage der Selbstbestimmung der Heimatvertriebenen, mit anderen Worten die Zukunft der Gebiete jenseits der Oder-Neiße-Grenze, eine wesentliche Rolle. Dadurch, daß ihre gründliche Erörterung zeitweise zum Tabu erhoben wird, verliert sie nicht an Bedeutung. In Wirklichkeit handelt es sich bei diesem Konflikt um eine Bewertung der Rangordnung unter mehreren politisch wichtigen Postulaten. Schon die Charta der Heimatvertriebenen enthielt den Gewaltverzicht. Trotzdem wird vor allem im Osten die Betonung des Heimatrechts als Revanchismus gedeutet und gegen die Bundesrepublik gewendet. Jahrelang rief es mangels Übung in der prognostischen Synopsis in Deutschland selbst erbitterten Widerstand hervor, wenn auch nur die Frage nach der Rangordnung dieser Forderung in der politischen Zielbildung der Bundesrepublik gestellt wurde, geschweige denn die Frage danach, wieviel ihre falsche Stellung in der Rangordnung kosten könnte. In Wirklichkeit spricht alle Wahrscheinlichkeit dafür, daß das von Stalin ‚nach Westen verlegte‘ Polen an den deutschen Ostprovinzen beharrlich festhalten wird und eben darin auch vom Westen Unterstützung bekommt. Es besteht kein Zweifel darüber, daß Stalin vorausgesehen hat, in welchem Grade die deutschen Ansprüche die Rußland-Orientierung der polnischen Politik festigen müßten, und daß eben diese Erwartung ein Motiv seines Entschlusses war. Wenn mit Notwendigkeit die Erhaltung des Friedens und die Förderung der Freiheit die erste Stelle der Prioritätenreihe einnehmen, dann könnte es im Interesse einer europäischen wie einer deutschen Weltpolitik gelegen sein, davon abzusehen, durch die Betonung dieser Ansprüche den sowjetrussischen ‚Imperialismus‘ zu unterstützen, sondern vielmehr auf eine Verständigung mit Polen hinzuarbeiten und sie durchzuführen, sobald es an der Zeit ist."

A. Bergstraesser, Geschichtliches Bewußtsein und politische Entscheidung. Eine Problemskizze. Zuerst in Rothfels-Festschrift 1961 (1963). Zit. nach: Bergstraesser, Weltpolitik als Wissenschaft, Köln-Opladen 1965, S. 224

Zum ersten Jahrestag der „Mauer" meinte die Publizistin Marion Gräfin Dönhoff:

51 „Was hat nun eigentlich die Errichtung dieser Mauer für den politischen Machtkampf unserer Tage bedeutet? ... In all den Jahren seit 1948 [ist] immer wieder von der Sicherheit Berlins —

nicht Westberlins — die Rede gewesen. Alle miteinander, die Alliierten und wir, haben immer wieder den Vier-Mächte-Status beschworen, der unter allen Umständen aufrechterhalten werden müsse. Aber als er dann weithin sichtbar über den Haufen geworfen wurde, da hieß es einfach, er habe ja *realiter* gar nicht mehr bestanden. Das ist ein bißchen zu einfach: Fiktionen, die noch nicht geplatzt sind, weiterhin als Fakten auszugeben und vermeintliche Fakten, die ihren illusionären Charakter enthüllt haben, als Fiktionen zu bagatellisieren. Fiktionen können in der Politik ebenso wichtig sein wie Fakten, aber sie haben nur selten die gleiche Lebensdauer. Und darum ist es wichtig, sich immer wieder Rechenschaft über ihre Lebensfähigkeit zu geben. Der Schock des 13. August [1961] war ja deshalb so groß, weil wir plötzlich erkennen mußten, daß die andere Seite (ich meine die Sowjets, nicht die DDR) mächtig genug war, ein angebliches Faktum als Fiktion aufplatzen zu lassen...

Man sollte heute, am Jahrestag der Mauer, einmal Bilanz machen und den Blick zurückgehen lassen über Fakten und Fiktionen. Nicht zurück bis zum Anbeginn des Vier-Mächte-Status, also bis zum Kriegsende, das wäre zu deprimierend, ...[denn] bis in den Sommer 1945 hinein [waren] Teile von Mecklenburg, die ganze frühere Provinz Sachsen-Anhalt, das gesamte Land Thüringen und die gute Hälfte des Landes Sachsen von amerikanischen Truppen besetzt...

Blicken wir zurück bis 1955, dem Jahr einer deutlich sichtbaren Zäsur. Bis dahin hatten die Sowjets dem Ziel der Wiedervereinigung nie grundsätzlich widersprochen. Im Jahr 1955 aber schlugen sie eine neue Politik ein: Anfang September gelang es ihnen, im Austausch gegen deutsche Kriegsgefangene Adenauer zur Aufnahme diplomatischer Beziehungen zu bewegen. Drei Wochen später... schlossen sie mit der Sowjetzone ein Abkommen, in dem diese als souveräner Staat anerkannt wurde. Nachdem auf diese Weise die Grundlage für die Zwei-Staaten-Theorie geschaffen worden war, verkündete Chruschtschow...: Wenn Wiedervereinigung, dann nur unter kommunistischen Vorzeichen... Wir sollten uns nichts vormachen. Es gibt zwar immer einen Status quo, aber es ist jedes Jahr ein anderer, und jeder ist ein bißchen schlechter als der vorangegangene...

Wenn es aber so ist, daß auf lange Sicht des Westens Chancen — sofern keine wesentlichen Erschütterungen eintreten — größer sind, als man es noch vor wenigen Jahren für möglich hielt, dann sollte man die Frage der Fakten und Fiktionen unter diesem Aspekt heute noch einmal überdenken.

Zu den wesentlichen Erschütterungen, die wirklich alles gefährden würden, gehört zweifellos eine Veränderung des Status von Berlin zur Freien Stadt. Eine graduelle Verschlechterung des Status von

Westberlin, die zwangsläufig zu seiner Preisgabe führen müßte, würde einen Vertrauensschock in Europa auslösen, dessen Konsequenzen ganz unabsehbar wären.

[Dank] der sehr energischen Politik Kennedys seit seiner militärischen ‚Mobilisierung‘ im Juli 1961 ... [wissen heute] beide Seiten ..., daß Westberlin ein Faktum ist und keine Fiktion wie der Vier-Mächte-Status.

Was aber ist mit unserer anderen großen Fiktion — der Behauptung, es gebe keinen zweiten deutschen Staat, obgleich er zusammen mit uns [1959] am Katzen-Verhandlungstisch in Genf saß, obgleich wir an seiner Grenze bereitwillig den Paß vorzeigen, um nach Berlin durchreisen zu können, obgleich wir Handelsabkommen mit ihm schließen? Gewiß, das Regime werden wir nie anerkennen können, aber das Faktum der Existenz eines zweiten deutschen Staates — das haben wir doch längst zur Kenntnis genommen ...

Wenn es stimmt, daß auf lange Sicht wir und nicht die Kommunisten im Einklang mit der geschichtlichen Entwicklung stehen, dann brauchen wir doch eigentlich vor einer De-facto-Anerkennung der DDR — falls sie uns eine Garantie der Zugangswege nach Berlin einbringt — nicht mehr zurückzuschrecken ... Die Zeit ist gekommen, die Lebensfähigkeit und den Tauschwert jener langgehegten Fiktion zu überprüfen, ehe sie uns vielleicht unter den Händen in Nichts zerrinnt.“

Marion Gräfin Dönhoff, Ein Jahr danach, in: „Die Zeit“, 10. August 1962, zit. in: dies., Die Bundesrepublik in der Ära Adenauer. Kritik und Perspektiven, rde Bd. 187/188, Reinbek 1963, S. 99—103

„Für das Selbstverständnis der Bundesrepublik ist entscheidend der Aspekt der Wiedervereinigung.“ Diesen Sachverhalt untersuchte der Historiker, Jurist und Politikwissenschaftler Thomas Ellwein:

52 „Von der Wiedervereinigung wird heute noch mindestens in einem weiteren und einem engeren Sinne gesprochen. Im engeren Sinne ist damit die Wiedervereinigung der beiden deutschen Teilstaaten gemeint, durch die allein auch die Situation Berlins (West) geklärt werden würde. Im weiteren Sinne wird darunter von größeren Gruppen auch verstanden, daß in friedlicher Weise die jetzt polnischer und sowjetischer Verwaltung unterstellten Gebiete des ehemaligen Deutschen Reiches in den Grenzen von 1937, die jenseits der Oder-Neiße liegen, mit West- und Mitteldeutschland vereinigt werden. Der damit zusammenhängende Problemkreis ist weitgehend tabuisiert worden. Es sind kaum Möglichkeiten einer Wiedervereinigung im engeren Sinne erkennbar und überhaupt keine einer Wiedervereinigung im weiteren Sinne. Dennoch kann in der Bundesrepublik kaum ausgesprochen werden, daß man zu einer faktischen Anerkennung der Oder-Neiße-Linie gezwungen sei und diese — freiwillig erfolgt — Mittel einer vernünftigen, beruhigenden deutschen Ostpolitik hätte sein können. Auch wenn deutlich ist, daß die Bereitschaft der Verbündeten der Bundesrepublik, für die Wiedervereinigung einzutreten, nur die im engeren Sinne meint, ist also die im weiteren Sinne im Gespräch, und wer sie als irreal erklärt, wird als ‚Verzichtpolitiker‘ oder dergleichen angeprangert. Indessen birgt auch die Politik der Wiedervereinigung im engeren Sinne ihre tiefe Problematik in sich, weil sie zunächst einmal dazu führen mußte, daß seitens der Bundesrepublik die ‚Zwei-Staaten-Theorie‘ entschieden abgelehnt werden mußte…

Vor dem Hintergrund des Grundgesetzes ist die rechtliche Zwei-Staaten-Theorie nicht zu vollziehen, weil dann die Wiedervereinigung nur durch einen vertragsgemäßen Zusammenschluß zweier Staaten herbeizuführen wäre, nicht durch einen vom Volk ausgehenden Akt der Verfassungsgebung oder die Übernahme des jetzigen Grundgesetzes auf andere deutsche Teilgebiete, so wie das bei der Rückgliederung des Saargebietes geschehen ist… So tiefgreifend die Beurteilung der Rechtslage die praktische Politik in der Bundesrepublik beeinflußt, so wenig kann von der Rechtslage her allein Politik gemacht werden… Wenn aber faktisch eine Wiedervereinigung nur noch so erfolgen kann, daß Mitteldeutschland in die westdeutschen Verhältnisse und Ordnungen einbezogen wird, dann läßt sich insofern keine Politik mehr machen, als Politik verschiedene Lösungsmöglichkeiten voraussetzt. Bei all dem verläuft die Entwicklung in der DDR mindestens gleich rasch und in vielem radikaler in Richtung einer Integration in den Ostblock. Die Bundesrepublik und ihre westlichen Verbündeten stehen damit vor der Frage, ob die Wiedervereinigungspolitik nicht grundlegend geändert werden muß. Diese Frage ist im Zusammenhang mit Berlin aktuell. Daß sie beantwortet werden muß, macht eine wesentliche innere Belastung der Bundesrepublik und ihres Regierungssystems aus. Sie wird nur deshalb wenig sichtbar, weil deutliche Tabuzonen errichtet worden sind, also nicht öffentlich diskutiert wird. Daß außerdem nicht einmal Lösungsmöglichkeiten in Richtung größerer Freiheit Mitteldeutschlands, die gegen eine Wiedervereinigung aufzuwiegen wären, sichtbar werden, kommt hinzu.“

Thomas Ellwein, Das Regierungssystem der Bundesrepublik Deutschland. Bd. I „Die Wissenschaft von der Politik“, Leitfaden, Köln-Opladen 1963, S. 295—300

Philologie als Instrument oder Ersatz einer gesamtdeutschen Politik? Der Journalist Peter Klinkenberg polemisierte:

53 „Der nordrhein-westfälische CDU-Bundestagsabgeordnete Luda hat ein neues Instrument der Politik entdeckt. Er will die deutsche Frage mit Hilfe eines ganz neuartigen Vorschlages in Gang bringen. Mit Nachdruck plädierte er soeben dafür, den allgemein üblichen Begriff ‚Bundesrepublik' schlicht und einfach durch das Wort ‚Deutschland' zu ersetzen, wenn man schon nicht bereit ist, sich ständig an dem ellenlangen Begriff ‚Bundesrepublik Deutschland' die Zunge zu zerbrechen. Luda will erreichen, daß die Bundesrepublik nicht mehr in die gefährliche und fast schon nach Gleichwertigkeit riechende Nähe der Deutschen Demokratischen Republik Walter Ulbrichts gerät. Vor allem aber soll damit der Alleinvertretungsanspruch Bonns in der deutschen Frage gewahrt werden. So einfach ist das.

Wir sind die letzten, die nicht für eine saubere sprachliche Ausdrucksweise in der Politik sind. Daher nehmen wir uns auch die Freiheit, DDR zu sagen, wenn DDR gemeint ist. Wir weisen aber auch Ost-Berlins Sprachregelung zurück, dessen Propagandakaleidoskop inzwischen bei ‚Westzone' angelangt ist, wenn die Bundesrepublik gemeint ist. Gleichermaßen erregt es uns aber auch, wenn in der Bundesrepublik in immer stärkerem Maße von Deutschland die Rede ist, wo es doch nur um seinen westlich-demokratischen Teil geht...

Die Anzeigenwerbung hat neben der seit längerem laufenden ‚Europamasche' seit kurzem auch für den Binnenmarkt der Bundesrepublik einen neuen Schlager gefunden: Gewisse Waschmaschinen gibt es jetzt... wieder ‚überall in Deutschland'. Auch in Leipzig? Kehrt man im Interzonenzug von einem Besuch in der DDR in die Bundesrepublik zurück, so heißt es gleich, nun komme der ‚deutsche Zoll'... Den Vogel schoß eine große Nachrichtenagentur... [mit einer] Sportmeldung [ab]: ‚Die deutsche Mannschaft verließ das Spielfeld, nachdem sich die sowjetzonalen Sportler geweigert hatten, das Spaltersymbol von ihren Hemden zu entfernen.'

Was hier offenbar wird, ist vor allem dies: In der breiten Masse der Bevölkerung der Bundesrepublik, sofern sie nicht gerade unmittelbare verwandtschaftliche Beziehungen über die Zonengrenze hinweg unterhält, ist, unter heimlich-stiller Hilfe und Förderung der ‚Obrigkeit', die deutsche Spaltung längst auf eine traurig-realistische Weise bewältigt. Die Bundesrepublik ist Deutschland, und mithin gibt es auf diesem Gebiet auch keine akuten Probleme mehr. Die Sonntagsreden am 17. Juni gehören zu diesem Staatsfeiertag wie die Hasen zum Osterfest... Wer die Bevölkerung in diesen süßen, verantwortungslosen Schlummer gewiegt hat, ...ist keine Frage; denn die Verantwortlichen hierfür sitzen in Bonn. Neben der offiziellen Sprachregelung im Behördenverkehr, wo mit der Bezeichnung ‚Sowjetische Besatzungszone (SBZ)' peinlich jede Erinnerung daran, daß es hier auch um ein Stück Deutschland geht, vermieden wird, ist es vor allem die amtliche Politik und die Sprache ihrer Repräsentanten.

Seit 16 Jahren propagieren die Regierungen in Bonn mit allmählich unerträglich werdender Monotonie ihren ‚Weg' zur deutschen ‚Wiedervereinigung': Verantwortung der vier Großmächte und freie Wahlen. Es gibt Menschen, die heute der Ansicht sind, daß diese politische Forderung schon längst nichts weiter als eine Schutzbehauptung ist, die nur deshalb gleich einem Tabu heilig gehalten und unablässig wiederholt wird, um das Wahlvolk nicht merken zu lassen, daß die weltpolitische Entwicklung schon mindestens seit einem Jahrzehnt über diese Forderung hinweggegangen ist. Ja, scharfsinnige Beobachter gehen so weit, zu erklären, daß dieser Führungsschicht in der Bundesrepublik niemals ernsthaft etwas an der Wiedervereinigung Deutschlands gelegen war.

Unliebsame Fragen: Worum es dieser konservativ denkenden, in ihrer Mehrheit katholischen, großbürgerlichen und antiliberalen Führungsschicht geht, ist die Stabilisierung dieses einmal durch die Politik unwissender Siegermächte zufällig zustande gekommenen Staatsgebildes mit seiner momentanen gesellschaftlichen Struktur. Jede noch so geringfügige Abweichung von der bisherigen ‚Wiedervereinigungsformel' würde zwangsläufig die Gefahr in sich bergen, daß die breiten Massen aus ihrem Wohlstandsschlummer erwachen und sich möglicherweise zu fragen beginnen, ob die bisher betriebene Deutschlandpolitik nicht vielleicht doch falsch gewesen sei.

Eine Politik, die den mühsamen Versuch unternähme, eine allmähliche Wiederannäherung der beiden deutschen Staaten zu erreichen, ohne dabei Walter Ulbricht in die Arme zu sinken, ist man in Bonn nicht bereit zu betreiben. Nicht zuletzt deshalb, weil sie ein ‚waches' Volk zur Voraussetzung hätte. Die Sprache, derer sich schon so viele bedient haben, um sie zu mißbrauchen, soll wieder einmal dazu herhalten, die Wahrheit zu verhüllen, statt sie zu offenbaren. Wo man ‚Deutschland' nicht zu schaffen bereit ist..., will man es wenigstens herbei,reden'. Aber die Philologie ist kein Instrument der Politik, geschweige ein Ersatz dafür. Wer Deutschland sagt, aber nicht Deutschland meint, sondern nur einen Teil davon, der verrät Deutschland."

Peter Klinkenberg: Deutschland, Deutschland ..., Leitartikel der „Frankfurter Rundschau", 12. Juni 1965, S. 3

Aus den „Richtlinien für die Bezeichnung: I. Deutschlands, II. der Demarkationslinien innerhalb Deutschlands, III. der Orte innerhalb Deutschlands" des Bundesministers für Gesamtdeutsche Fragen vom 12. Mai 1961,
in der Fassung des Ministers Erich Mende (FDP) vom Juli 1965:

54 „I. Deutschland: a) Die Bundesrepublik Deutschland setzt —
unbeschadet der Tatsache, daß ihre Gebietshoheit gegenwärtig
auf den Geltungsbereich des Grundgesetzes beschränkt ist — das
Deutsche Reich als Völkerrechtssubjekt unter Wahrung seiner rechtlichen Identität fort. Statt der ausdrücklichen Bezeichnung ‚Bundesrepublik Deutschland', die das Grundgesetz festgelegt hat, sollte daher die Kurzform ‚Deutschland' immer dann gebraucht werden,
wenn die Führung des vollständigen Namens nicht erforderlich ist.
Das gleiche gilt für den Gebrauch der Bezeichnung ‚Deutsche Regierung' statt ‚Regierung der Bundesrepublik Deutschland' oder ‚Bundesregierung'... Die Abkürzung ‚BRD' oder die Bezeichnung ‚Bundesrepublik' ohne den Zusatz ‚Deutschland' sollten nicht benutzt
werden... b) ... Normalerweise ist davon auszugehen, daß die Bezeichnung ‚Bundesrepublik Deutschland' das Land Berlin einschließt.
Der Zusatz ‚einschließlich des Landes Berlin' sollte nur dann gebraucht werden, wo ein besonderes Bedürfnis nach Klarstellung der
Zugehörigkeit Berlins zum Bundesgebiet besteht... c) Das 1945 von
der Sowjetunion besetzte Gebiet Deutschlands westlich der Oder-
Neiße-Linie mit Ausnahme Berlins wird im politischen Sprachgebrauch als ‚Sowjetische Besatzungszone Deutschlands', abgekürzt als
‚SBZ', in Kurzform auch als ‚Sowjetzone' bezeichnet... II. Bezeichnung von Demarkationslinien innerhalb Deutschlands: ... b) Die Demarkationslinie zwischen der sowjetischen Besatzungszone Deutschlands und den deutschen Ostgebieten heißt ‚Oder-Neiße-Linie'..."

AdG 1971, S. 16 495 A

Die Manipulation der politischen Sprache in Westdeutschland stellte 1965
der schwedische Germanist Gustav Korlén heraus:

55 „Hier *Bundesrepublik* und *Mitteldeutschland*, dort *Westdeutschland* und *Deutsche Demokratische Republik*. ... Man hat von
[west-] deutscher germanistischer Seite... allen Ernstes behaupten
wollen, daß es sich bei dem Wort *Mitteldeutschland* gewissermaßen
um eine neutrale Prägung handle, die von denen gewählt würde, die
sich weder auf den Ausdruck *DDR* noch auf die wiederum eine andere Sehweise vermittelnde Bezeichnung *Zone* festlegen wollten. In
Wirklichkeit handelt es sich um einen ganz eindeutigen Fall von
Sprachlenkung. Schon beim ersten Auftreten der Bezeichnung Mitteldeutschland in der deutschen Presse im Jahre 1949 ist der politische Akzent offenkundig, so z. B., wenn in der Allgemeinen (später
Frankfurter Allgemeinen) Zeitung von ‚diesem fälschlich als Ost-

deutschland bezeichneten deutschen Kernland' die Rede ist. Studiert man die Presse und die Bundestagsprotokolle der damaligen Zeit, also um 1950, erweist es sich freilich, daß die Zusammensetzungen mit *Ost-*, *Ostdeutschland* und *Ostzone*, durchaus gebräuchlich waren (*Ostzone* dominierte damals noch im Sprachgebrauch von Adenauer, Lemmer und Schumacher). Erst einige Jahre später ist im Zuge der Aktivierung der bundesrepublikanischen Ostpolitik die offizielle Sprachregelung vollzogen: In einer Fragestunde des Bundestags im März 1954 erklärte der damalige Minister für gesamtdeutsche Fragen, Jacob Kaiser, er ,werde sich weiter darum bemühen, daß die unzutreffende Bezeichnung Ostzone für die sowjetische Besatzungszone aus dem Sprachgebrauch verschwinde. Die deutsche Öffentlichkeit müsse sich bewußt bleiben, daß die Sowjetzone nicht der deutsche Osten sei. Spreche man vom deutschen Osten, könne man nur an die Gebiete jenseits der Oder und Neiße denken. Die Sowjetzone sei Mitteldeutschland'. Sechs Jahre später fand diese Sprachregelung ihren Niederschlag auch in der germanistischen Wissenschaft. In dem Protokoll eines Bonner Seminars zum Thema der Sprache im geteilten Deutschland heißt es: ,Wir benutzen nach Möglichkeit die Termini ›Mitteldeutschland‹ oder ›SBZ‹ für das Gebiet der sog. DDR und ›Ostdeutschland‹ für die östlich davon gelegenen, heute fremdverwalteten Gebiete, weil diese Benennung der Dreiteilung Deutschlands sachlich gerecht wird. Die populären Bezeichnungen ›Ostzone‹ und ›Ostdeutschland‹ für das Gebiet der sowjetisch besetzten Zone sind sachlich falsch.'

Diesen Bemühungen von Kaiser und anderen zum Trotz haben sich freilich in der Umgangssprache vorwiegend andere Bezeichnungen behauptet. Nach einer vom Frankfurter Institut für Werbepsychologie und Markterkundung im November 1960 durchgeführten demoskopischen Untersuchung verteilten sich die Prozentzahlen auf folgende Kategorien: Ostzone 34 %, DDR oder Deutsche Demokratische Republik (also ohne den Zusatz ,sog.' oder gar Gänsefüßchen) 19 %, Russische Zone oder Russische Besatzungszone 14 %, Sowjetzone 9 %, Mitteldeutschland ebenfalls nur 9 %, und kein einziges Mal SBZ. Diese Statistik ist insofern offensichtlich nicht ganz einwandfrei, als so frequente Bezeichnungen wie *Zone* oder *drüben* fehlen, aber im ganzen ergibt sie doch schon ein recht aufschlußreiches Bild von der Diskrepanz zwischen Umgangssprache und Behördendeutsch, die ein so wesentliches Merkmal auch der heutigen Sprachsituation ist."

Gustav Korlén: Der Hang zum Trend. Die Sprache aller Deutschen, in:
H. Hammerschmidt (Hgb.): Zwanzig Jahre danach. Eine deutsche Bilanz 1945—1965,
München-Wien-Basel 1965, S. 172 f.

Der Realitäts-Begriff des Bundeskanzlers Ludwig Erhard (CDU) in seiner
Regierungserklärung vom 18. Oktober 1963:

56 „Man sagt uns, die Teilung unseres Volkes sei eine ‚Realität‘,
die hingenommen werden müsse. Sicher haben wir es hier mit
einer Realität zu tun, aber mit einer unerträglichen. Auch eine
Krankheit ist eine Realität, und doch wird es niemandem einfallen,
den zu tadeln, der sich vor ihr zu schützen und sie zu heilen sucht.
Auch Unrecht ist Realität, und doch wird man alles daransetzen
müssen, es zu beseitigen. Vor allem aber ist, wenn schon die Teilung
unseres Landes als eine Realität hingestellt wird, der Wille des deutschen Volkes zur Wiederherstellung seiner Einheit eine weit stärkere
Realität, denn die Geschichte lehrt, daß der elementare Drang eines
Volkes, um seine Einheit und Freiheit zu ringen, zu den mächtigsten
Kräften überhaupt gehört. Die Sowjetunion wäre deshalb gut beraten, dieser Realität Rechnung zu tragen und dem ehrlichen Frie-
denswillen des deutschen Volkes zu vertrauen."

*Zit. nach: Führungsstab der Bundeswehr (Hgb.): Information für die Truppe. Hefte für
staatsbürgerliche Bildung und geistige Rüstung, Jg. 1965, Heft 1, S. 35*

Über die Ziele der sowjetrussischen Politik seit 1957 urteilte regierungs-
offiziös O. M. von der Gablentz:

57 „Der Kampf um die Bundesrepublik war... wahrscheinlich die
entscheidende Front der sowjetischen Offensive. Hier war ihr
Nahziel, die Westmächte zur Anerkennung der Existenz zweier
deutscher Staaten und damit zur Legalisierung der Aufteilung Europas entlang der militärischen Demarkationslinie von 1945 zu zwingen. Dies konnte entweder durch den Abschluß eines Friedensvertrages mit zwei deutschen Staaten geschehen oder durch Ost-West-
Vereinbarungen über militärisch verdünnte bzw. entmilitarisierte
Zonen, deren Demarkationslinie die Zonengrenze in Deutschland
wurde, oder durch die Verdrängung der Westmächte aus Berlin. Das
diplomatische Arsenal war hier in dem historischen europäischen
Konfliktgebiet besonders reichhaltig bestückt und ließ vielfältige
Kombinationen zu. Das Ziel aller taktischen Einzelmaßnahmen aber
war zunächst eine ‚Normalisierung‘ der Lage in Mitteleuropa, die
den im Zweiten Weltkrieg so erfolgreich erweiterten Besitzstand der
sowjetrussischen Macht konsolidierte. Ein weiteres Ziel war es, die
Verpflichtung der Westmächte, mit der Bundesrepublik bei der Verwirklichung der Wiedervereinigung Deutschlands zusammenzuwir-
ken, als leere Deklamation zu entlarven. Denn wenn auch die Konsolidierung des Status quo ihr Nahziel war, so blieb doch die Spren-
gung des westlichen Lagers und die Verdrängung der Vereinigten

Staaten aus Westeuropa ein Fernziel der Offensive... Schließlich
aber bot die Lage in Berlin selbst der Sowjetunion Anlaß zu akuten
Sorgen: Der Übergang vom Ostsektor nach West-Berlin war das
größte Loch im Eisernen Vorhang, durch das monatlich 20 000 und
mehr Menschen... aus der Sowjetzone abwanderten."

O. M. von der Gablentz, Die Berlin-Frage in ihrer weltpolitischen Verflechtung 1944—1963.
Eine Einführung („im Auftrage des Auswärtigen Amtes bearbeitet"), Bd. 19 der
Dokumente und Berichte des Forschungsinstituts der Deutschen Gesellschaft für Auswärtige
Politik e.V., München 1963, S. 29 f.

**Das Bekenntnis der Sowjetunion und der Staaten des Ostblocks „zur
Zwei-Staaten-These und ihre Ablehnung des Rechtsanspruchs der Regierung der Bundesrepublik Deutschland" untersuchte der Rechts- und
Politikwissenschaftler Rudolf Schuster; dabei stellte er „eine terminolo-
gische Sonderheit" heraus:** [7]

58 „Sie bezeichnen die Bundesrepublik Deutschland in ihren Verlautbarungen als die ‚Deutsche Bundesrepublik' und ersetzen
so das umfassende, auf das Ganze hinweisende Substantiv ‚Deutschland' durch das Adjektiv ‚deutsch', um so durch eine zur Bezeichnung
‚Deutsche Demokratische Republik' parallele Begriffsbildung das
Nebeneinander der ‚beiden deutschen Staaten' zu unterstreichen.
Interessant und für die Methoden der sowjetischen Propaganda
symptomatisch ist die Tatsache, daß die Sowjets in ihren Verlautbarungen und auch in den Übersetzungen ihrer Noten an die Re-
gierung der Bundesrepublik Deutschland immer die Bezeichnung
‚Deutsche Bundesrepublik' wählen, während die Adressierung der
Noten im Original die korrekte Bezeichnung ‚Bundesrepublik
Deutschland' enthält."

Rudolf Schuster, Deutschlands staatliche Existenz im Widerstreit politischer und rechtlicher
Gesichtspunkte 1945—1963, Bd. 20 der Dokumente und Berichte des Forschungsinstituts der
Deutschen Gesellschaft für Auswärtige Politik e.V., München 1963, S. 194

**Wie könnte und sollte „der 1949 mit dem Grundgesetz entstandene Staat
zu einem Instrument der späteren Wiedervereinigung gemacht werden"?
„Ein Staatsrechtler" argumentierte:**

59 „Von der Gründung an stand der neue Staat unter dem Einfluß
der Theorien von der Rechtslage Deutschlands... In welchem
Verhältnis steht die neue Staatsordnung zur vergangenen, zur östlich

---

[7] Man vgl. Bezeichnungsrichtlinien im Sozialistischen Lager für wissenschaftliche Veröffentlichungen: „Soweit es für die tschechoslowakischen Orte deutsche Bezeichnungen gibt, werden diese auf Beschluß der Historikerkommission der DDR und der ČSSR im Text der
vorliegenden Ausgabe verwendet." (Gerhard Fuchs: Gegen Hitler und Henlein. Der soli-
darische Kampf tschechischer und deutscher Antifaschisten von 1933 bis 1938, Berlin [Ost]
1961, S. 6)

benachbarten und zur erstrebten gesamtdeutschen? Im Grundgesetz verschlingen und widersprechen sich verschiedene Tendenzen der Deutschland-Politik. Man hatte sich zur Gründung eines Bundesstaates durchgerungen, dessen Hoheitsgebiet auf die westlichen Zonen beschränkt bleiben mußte, stellte ihn aber unter das Zeichen der gesamtdeutschen Erwartung. Einige programmatische Sätze und einige Normen des Grundgesetzes sind nur so zu verstehen, daß die ‚Bundesrepublik Deutschland' das weiterbestehende Reich in anderer staatlicher Form fortsetzt... [Präambel] und die Anschlußklausel des Artikels 23... sind die verfassungsrechtlichen Stützen für die Kernstaats-Auffassung, das heißt: für die These, daß die Bundesrepublik mit Deutschland rechtlich identisch ist, daß ihr Staatsapparat, ihr Gebiet und ihre Bevölkerung den Kern des Gesamt-Staatswesens bilden. Welches Pathos des Neubeginns, welcher Geist gesellschaftspolitischer Offensive, welches verpflichtende, aber auch erhebende Selbstbewußtsein des neuen Staates könnte hinter solchen Sätzen vermutet werden — stünden ihnen nicht andere Formulierungen gegenüber, in denen das Ungenügen am Erreichbaren, die Abwertung des Greifbaren den Zwiespalt in der Seele der Grundgesetzgeber offenbaren... Die Wiedervereinigungs-Klauseln des Grundgesetzes wirken wie Wegweiser nach verschiedenen Richtungen: das Ziel der einen ist der Anschluß der übrigen Teile Deutschlands an den westlichen, das Ziel der anderen das Aufgehen der Bundesrepublik in einem Deutschland, das im Dunkel der Zukunft liegt... Den beiden Zielrichtungen der Wiedervereinigungsklauseln des Grundgesetzes entsprechen die Hauptrichtungen der verschiedenen Theorien über Deutschlands Rechtslage nach der Gründung der Bundesrepublik und der sogenannten ‚Deutschen Demokratischen Republik'...

Die Eingliederung in die westliche, europäische und atlantische Verteidigungs- und Wirtschaftsgemeinschaft ist seit mindestens einem Jahrzehnt die Grundlage der Politik der Bundesrepublik, ihr fester Halt und ihr richtungweisendes Prinzip... Vor diesen Tatsachen mußte die Gesamtstaatsidee immer mehr zum lebensfremden, wirklichkeitsfernen Ideal verblassen. Dennoch nährt diese Idee eine ständig wirksame politische Gegentendenz, die sich in juristischen Theorien und Konstruktionen ebenso äußert wie in politischen Forderungen und Unternehmen... Das deutsche Einheitsstreben... brach sich Bahn in gesamtstaatlichen Rechtskonstruktionen, gesamtdeutschen, politisch bestimmten Handelsabkommen und neuerdings in der Politik der ‚Kleinen Schritte'. Passierscheinabkommen zwischen dem Senat von West-Berlin und dem Regime von Ost-Berlin mit ihren akrobatischen Formelkompromissen, Handelsabkommen mit großzügigen Zahlungs- und Kreditbedingungen zu Lasten des bundesdeutschen Staatshaushalts... — alles dies sind die Symptome der gegenläufigen Tendenz... Die Ungeduld, mit der die Fortdauer der Spaltung beklagt wird, kommt nicht allein aus dem Mitempfinden mit dem Los der Volksgenossen von drüben, aus der Erbitterung über das Unrecht dieser Volkszerreißung. Sie wurde auch von Parteien und weltanschaulichen Gruppen geschürt, die sich von der politischen und staatsrechtlichen Vereinigung einen Zuzug für ihr Lager, eine Zunahme ihres Stimmenanteils versprechen zu können glaubten...

Welche Kräfte hindern das Kernstaatsprinzip an der vollen Entfaltung in der politischen Wirklichkeit? ...Die Rechtsbehauptung, der von Bismarck gegründete deutsche Staat bestehe seit 1945 rechtlich weiter, konnte allenfalls für juristisch überzeugend und politisch nützlich gehalten werden, solange die politische Entwicklung Mitteleuropas sich noch im Übergang zu befinden, der Wiederaufbau der deutschen Zentralgewalten in absehbarer Zeit möglich zu sein schien... Das Ende der Spaltung Deutschlands, die ein Ausschnitt der Teilung Europas ist, vermag niemand abzusehen. Der von Moskau gelenkte weltrevolutionäre Kommunismus... würde einer Wiedervereinigung nur um den Preis der deutschen Freiheit zustimmen... Die gesamtstaatliche These hält an Rechten und Positionen fest, die der deutschen Verfügungsgewalt seit 1945 entzogen sind, und nimmt eine nationale Zukunft ideologisch vorweg, die der politische Wille erstrebt. Machtloses Recht der rechtlosen Macht unbeirrt entgegenzuhalten, vermag nur ein starker, beständiger Wille, und nur ein solcher wird unter günstigen Umständen von der Geschichte belohnt... Die gesamtstaatliche Theorie mußte sich in der pluralistischen Staats- und Gesellschaftsordnung der Bundesrepublik als eine zweischneidige Waffe erweisen: Sie hat den Bonner Staat einerseits zur provisorischen Teilordnung abgewertet, andererseits ihn mit einer politischen Hypothek belastet, die einzulösen seine Kräfte übersteigt. Hat sie die Innenpolitik mehr gehemmt als beflügelt, so hat sie in der Außenpolitik nur einige Anfangserfolge erzielt. Die einzige Nutzanwendung ist die Hallstein-Doktrin, die sich immer weiter in die Verteidigung gedrängt sieht, weil sie einer beweglicheren Ostpolitik im Wege steht. Ihre Kehrseite aber war die Verpflichtung der Bundesrepublik, für die Schulden des Hitlerstaates einzustehen...

Überkommene Rechtskonstruktionen an den wirklichen Machtverhältnissen messen und ihren Zeitwert prüfen, ist dagegen ein Gebot der Vernunft und kann das Selbstbewußtsein eines Volkes heben, wenn zugleich positive Ziele gesetzt werden. Da es sich immer deut-

Forts. S. 74

Die Rechtslage in Theorie und Praxis

Bezeichnung der Theorie	Inhalt	Praktische Folgerungen a) Außenpolitik	Praktische Folgerungen b) Innenpolitik	Logische, aber nicht gezogene Folgerungen
Identitäts- oder Kernstaatstheorie	Die Bundesrepublik wird mit dem fortbestehenden Deutschen Reich, das sie nur neu verfaßt und organisiert hat, rechtlich gleichgesetzt. Ziel: „Einheit in Frieden und Freiheit".	Alleinvertretungsanspruch, Nichtanerkennung der sogenannten DDR; Nichtanerkennung der einheitliche deutsche Staatsangehörigkeit mit gleichem Paß für Mittel- und Westdeutsche; Nichtanerkennung der Oder-Neiße-Grenze (Gebietsstand von 1937). Haftung für Reichsschulden prinzipiell unbegrenzt.	Grundgesetz soll echte Verfassung eines souveränen Staates sein; freiheitlich-demokratische Ordnung gilt als endgültig. Staatsschutz (einschließlich Notstandsrecht) und Wehrhoheit grundsätzlich bejaht. Freizügigkeit für alle Deutschen im Bundesgebiet; Behandlung der sowjetischen Zone als Inland.	Herrschaftsanspruch über ganz Deutschland; aktive Bekämpfung der kommunistischen Gegenregierung bis zu ihrer Niederwerfung (Bürgerkriegsthese); Verzichtpolitik strafbar; Verträge der Bundesrepublik binden ganz Deutschland.
Teilordnungstheorie	Auf dem Gebiet des fortbestehenden Deutschen Reiches haben sich für eine Übergangszeit zwei Teilstaaten mit sachlich und räumlich begrenzten Befugnissen (Provisorien) gebildet.	Begrenzte Handlungsmacht und Vertragsgewalt von Bundesrepublik Deutschland und DDR, deren Verträge nur für eigenes Gebiet bis zur Wiedervereinigung gelten. 4 Mächte	Grundgesetz gilt für Übergangszeit; Interzonenhandel und -abkommen; „innerdeutsche" Rechts- und Amtshilfe, Förderung „gesamtdeutscher Begegnungen"; Beschränkung und Aufwei	Abrüstung in beiden Teilstaaten, ihre Neutralisierung.

	Ziel: Einheit durch gegenseitige Anpassung.	behielten Reste von übergeordneter Besatzungsgewalt. Haftung für Reichsschulden anteilig begrenzt. Koexistenz beider Teilstaaten in der Völkerrechtsgemeinschaft und in mehrseitigen Verträgen. Anerkennung der »DDR« eine politische Frage.	chung des Staatsschutzrechts zu ihrer Erleichterung; keine Pflichten und Lasten für Mitteldeutsche.	Staatserhaltung und -stärkung geht »gesamtdeutschen Begegnungen« und Bestrebungen vor.
Weststaatstheorie	Die Bundesrepublik ist als neuer Staat auf nördlichem, westlichem und südlichem Gebiet des ehemaligen Deutschen Reiches entstanden, spricht aber für alle früheren Reichsdeutschen, solange nur sie national und demokratisch gerechtfertigt ist. Ziel: 1. Verteidigung der westlichen Lebensform als Vorbedingung für 2. Einheit in Freiheit.	Grundsätzlich volle Handlungs- und Vertragsfähigkeit; Anschluß an westeuropäische Gemeinschaften und atlantische Verteidigungsorganisation (militärische und wirtschaftliche Eingliederung). Keine Anerkennung der faktischen polnischen und russischen Westgrenze und der »DDR«, Alleinvertretungsrecht, solange Mitteldeutschland unter Fremdherrschaft.	Staatsschutz- und Notstandsrecht werden bejaht und verwirklicht, ebenso äußere Verteidigung (Bundeswehr). Rechte und Pflichten der Staatsbürgerschaft gelten grundsätzlich nur für »Bundesbürger«.	

licher herausstellt, daß Identitätstheorie und Kernstaatsprinzip nicht nur der politischen Wirklichkeit zuwiderlaufen, sondern auch die politische Stärke eines pluralistischen Staates überfordern, fragt es sich, ob nicht das Weststaatsprinzip sowohl die richtige Erklärung des bestehenden Zustandes bieten als auch den angemessenen Weg in die Zukunft weisen würde. In der Beurteilung des staatlichen Lebens der Gegenwart stimmt es mit dem Kernstaatsprinzip ein gutes Stück überein. Wie dieses sieht es die Bundesrepublik im Vollbesitz der Staatseigenschaften und billigt ihren Anschluß an die westliche Staatengemeinschaft. Wie dieses steht es im Einklang mit dem inneren Aufbau der Staatsgewalt, mit Staatsschutz, Wehrhoheit und Notstandsverfassung... Der Unterschied beider Prinzipien liegt in der Auffassung vom Wesen der Bundesrepublik und in den außenpolitischen Folgesätzen... Das Weststaatsprinzip zur Richtlinie der Politik machen, hieße keineswegs das Ziel der deutschen Einheit aufgeben. Es hieße nur, sich von verkrusteten Rechtstheorien freimachen und der Zukunft mit offenem Sinn für alle Wirklichkeiten und Möglichkeiten entgegensehen. Es hieße, sich entschieden und offen einem Prinzip zuwenden, das bislang nur latent und implizite wirksam war. Es könnte dem Staat ein neues wirklichkeitsnahes Bewußtsein und der Wiedervereinigungspolitik eine realpolitische Grundlage geben... Der Weg wird lang und schwer sein. Eine realistische Politik der Wiedervereinigung verlangt die Fähigkeit, nicht nur rechtsstaatlich, europäisch und atlantisch, sondern auch national und realpolitisch zu denken, vor allem aber die Einsicht, daß das Wesen der Auseinandersetzung mit dem Kommunismus um Deutschland nicht der Dialog, sondern der Kampf ist, der auch den Gutwilligsten von der anderen Seite immer wieder aufgezwungen wird... Für alle Möglichkeiten gerüstet zu sein, bedarf das deutsche Volk eines kräftigen, selbstbewußten, der Wirklichkeit von heute und von morgen zugewandten Staates."

N. N., Kernstaat oder Weststaat? Grundfragen der Politik der Wiedervereinigung, in: „Die politische Meinung", XI. Jg. (1966), Nov.-Dez.-Heft, S. 17—42; Zitate S. 19—21, 24, 29—31, 34—36, Tabelle S. 37, 38, 42

Helmut Rumpf hat 1969 im Vorwort zur 1. Auflage der Sammlung seiner Beiträge zur Deutschlandfrage folgendes mitgeteilt: „Der dritte Teil dieses Buches ist die — unwesentlich veränderte — Wiedergabe eines Artikels, den ich (ohne Namen) unter gleichem Titel [Kernstaat oder Weststaat] in der Zeitschrift ‚Die Politische Meinung', Nr. 118, Nov./Dez. 1966, S. 17 ff. veröffentlicht habe. Die teils politologischen, teils staats- und völkerrechtlichen Gedankengänge dieses Artikels sind hier mit Betrachtungen zur Souveränitätsfrage verbunden und um Anregungen für weiterführende Erwägungen ergänzt worden." Vgl. H. Rumpf, Land ohne Souveränität. Kritische Betrachtungen zur Deutschlandpolitik von Adenauer bis Brandt, 2., erweiterte Auflage, Karlsruhe (C. F. Müller) 1973, S. VI. Der Beitrag findet sich S. 75—114, Zitiertes S. 77 ff., 86 ff., Tabelle S. 112 f.

IV. Anpassung an den Abbau des Kalten Krieges

Seit Mitte der 60er Jahre kennzeichneten zwei Tendenzen die weltpolitische Situation: das wachsende kriegerische Engagement der USA in Südostasien sowie eine teilweise Entspannung im Verhältnis der USA zur UdSSR. Besonders wegen des Aufstiegs der Volksrepublik China hatte sich der Bipolarismus des Kalten Krieges zu einem Pluralismus gewandelt. Zugleich waren innerhalb jedes der beiden Blocksysteme zentrifugale Bestrebungen zu beobachten: im „Westen" in Lateinamerika nach der erfolgreichen Behauptung des Castro-Regimes auf Kuba sowie Frankreichs Politik in NATO, EWG und zur Deutschen Frage (D 89—90), im Sozialistischen Lager die Entwicklungen in Rumänien und in der ČSSR. Jede Hegemonialmacht reagierte in ihrem unmittelbaren strategischen Vorfeld mit militärischer Intervention auf derartige Entwicklungen: die USA 1965 in der Dominikanischen Republik, die UdSSR 1968 in der ČSSR (D 93; vgl. S, S. 78 f.). Wie wirkten sich solche Tendenzen auf die Deutschland-Politik der Bundesrepublik Deutschland aus?

Seit dem Bau der Mauer in der Schlußphase der Ära Adenauer hatten die Bundesregierungen Deutschland- und Ostpolitik voneinander zu trennen versucht. Gegenüber der DDR wurde der demokratische Legalismus fortgeführt, während im Verhältnis zu den nichtdeutschen übrigen Mitgliedstaaten des Warschauer Paktes realistischere Positionen vertreten wurden. Erst in der Bundesregierung der Großen Koalition von CDU/CSU und SPD unter Bundeskanzler Kiesinger (CDU) konnten führende Sozialdemokraten versuchen, diese Doppelgleisigkeit zu überwinden (61). Es mußte jedoch auch die neue Position der DDR beachtet werden (62). Die Kernfrage lautete, ob nach zwei Jahrzehnten der Konfrontations-Deutschland-Politik ein radikaler Kurswechsel notwendig war (63, 64).

Nach den Bundestagswahlen von 1969 konnte Willy Brandt eine Koalition von SPD und FDP bilden. Sie versuchte, eine einheitlich realistische und kooperative Politik gegenüber dem gesamten Sozialistischen Lager in Europa zu betreiben (65, 67). Die Kritik der starken parlamentarischen Opposition von CDU/CSU (66, 69) führt auf die Grundprobleme der Bundesrepublik seit ihrer Bildung: auf das Verhältnis von gesamtdeutschen Ansprüchen, die aus bestimmten Rechtspositionen gefolgert werden, zu den machtpolitischen Gegebenheiten und Entwicklungen.

Die Auseinandersetzungen um die Verwirklichung des Kurswechsels im Moskauer Vertrag der Bundesrepublik mit der UdSSR (71 f.) lassen Thesen, Denkansätze und Methoden der konkurrierenden politischen Gruppen in diesem Staat sowie die Bedeutung der Entscheidung erkennen. Das trifft auch für die Standpunkte zu, die Bundesregierung und Opposition (85) zu Verhandlungen und Rahmenübereinkommen der vier Siegermächte über Berlin (87) sowie zu Verhandlungen zwischen Bundesrepublik Deutschland und DDR und zwischen Berliner Senat und DDR (91 bis 92) eingenommen haben.

Je mehr die westdeutsche Ost- und Deutschland-Politik von der Konfrontation zur Kooperation verändert wurde, desto stärker wurden

— wie in Entstehungs- und Anfangsphase dieses Staates — die inner- und gesellschaftspolitischen Funktionen des Wandels bzw. der Auseinandersetzungen darüber bewußt: die Zusammenhänge von „außenpolitischer Innovation und politischer Herrschaftssicherung" (Reinhold Roth 1976) wurden sichtbar; ebenso wurden erhoffte oder befürchtete Änderungen des Gesellschaftssystems thematisiert (53; 82 a; 89!).

Hintergrund und Verwirklichung gewandelter sozialdemokratischer Vorstellungen in der Großen Koalition 1966—1969

Eine stillschweigende Einigung aller vier Siegermächte seit Mai 1949 auf den Kurs eines Modus vivendi zweier Deutschland vermuteten Willy Brandt und Richard Lowenthal 1957 auf Grund der Tatsache, daß beide Lager des Kalten Krieges auf der Pariser Konferenz der Außenminister und danach Maximalforderungen vorgelegt haben und daß die Westmächte keinen garantierten freien Zugang für Deutsche nach Berlin durchsetzten:

60 „Auch die Westmächte versuchten nicht ernsthaft, ihren Gegenvorschlag durchzudrücken, und sie scheuten das Risiko, die mühsam beschlossene westdeutsche Staatsbildung zugunsten freier gesamtdeutscher Wahlen aufzugeben, selbst wenn diese möglich wären... So war das ‚Scheitern' der Pariser Konferenz dem Wesen der Sache nach eine unausgesprochene Einigung beider Seiten darauf, die Teilung Deutschlands einfrieren zu lassen, weil dies der Weg des geringsten Widerstandes war — mit dem Vorbehalt, daß jede Seite weiterhin ihren Willen zur Einheit beteuerte und der anderen die Schuld daran zuschob, daß sich über die Bedingungen der Einheit keine Einigung hatte erzielen lassen... [Ernst] Reuter... erkannte zunächst nicht die neue Tendenz zum Sichabfinden beider Seiten mit der Teilung Deutschlands..., — genau wie alle führenden deutschen Politiker — den Beginn dieser verhängnisvollen Wendung... Das neue Bedürfnis der Westmächte, zu einer Beruhigung auf der Grundlage des Status quo zu kommen, verstärkte ihren Widerstand gegen die Forderungen, die... [Reuter] in Berlin im Interesse seiner Stadt erhob... Noch klarer zeigte sich das neue alliierte Bestreben, in der neuen Lage alles zu vermeiden, was die Sowjets irritieren könnte, an der Frage der Wahl der Berliner Abgeordneten für den ersten westdeutschen Bundestag... Nach Abschluß der [Pariser] Konferenz... [tauchte der] alte Pariser Einwand gegen alles, was die Verbindung zwischen Berlin und dem Bund enger gestalten und damit einen künftigen Kompromiß mit den Sowjets über den Status Berlins erschweren könnte, ,mit Einverständnis der Amerikaner und Engländer' wieder auf.

Willy Brandt — Richard Lowenthal, Ernst Reuter. Ein Leben für die Freiheit.˙Eine politische Biographie, München ²*1965, S. 520—523*

Über Vereinbarungen zwischen den Regierungen der Bundesrepublik Deutschland und der ČSSR vom 3. August 1967 berichtete „Die Welt", nachdem weder der Wortlaut des Abkommens noch der dazugehörige Briefwechsel veröffentlicht worden waren; für die Bundesrepublik Deutschland hatte Sonderbotschafter Egon Bahr (SPD) verhandelt:

61 „Ein Streit um die tschechische Übersetzung des Wortes ,Bundesrepublik Deutschland' wurde dadurch beigelegt, daß deutscherseits die übliche tschechische Übersetzung akzeptiert wurde. Ein Sprecher der Bundesregierung erklärte hierzu: ,Es wurde glaubhaft versichert, daß dies eine adäquate Übersetzung sei, die dem tschechischen Sprachgebrauch entspricht und in vergleichbaren Fällen, so z. B. bei der Bundesrepublik Österreich, in tschechischen Verträgen ebenfalls angewandt wurde.' Danach gebrauche die ČSSR entsprechend ihrem Sprachgebrauch in ihrer Sprache den Ausdruck ,Österreichische Bundesrepublik' und ,Deutsche Bundesrepublik'. In dem von dem tschechischen Delegationsleiter gleichzeitig unterschriebenen deutschen Text heißt es ,Bundesrepublik Deutschland'. Die Delegation der BRD hat sich... noch eine zweite Garantie dafür geben lassen, daß die tschechische Bezeichnung keine politische Bedeutung habe..." Die „Neue Zürcher Zeitung" schrieb am 6. August [1967] u. a.: „Die Berlinklausel, die ein [Prager] Radiokommentator unmittelbar nach der Vertragsunterzeichnung eine ,unrealistische Forderung' nannte, ist im Gegensatz zu den Handelsverträgen zwischen Bonn und anderen osteuropäischen Staaten im vorliegenden Abkommen mit Prag allerdings nicht mehr enthalten."

Archiv der Gegenwart, Jg. 1967, S. 13 339 f.

Die Position der DDR

Aus der „Verfassung der Deutschen Demokratischen Republik vom 6. April 1968":

62 „Getragen von der Verantwortung, der ganzen deutschen Nation den Weg in eine Zukunft des Friedens und des Sozialismus zu weisen,
in Ansehung der geschichtlichen Tatsache, daß der Imperialismus unter Führung der USA im Einvernehmen mit Kreisen des west-

deutschen Monopolkapitals Deutschland gespalten hat, um Westdeutschland zu einer Basis des Imperialismus und des Kampfes gegen den Sozialismus aufzubauen, was den Lebensinteressen der Nation widerspricht,

hat sich das Volk der Deutschen Demokratischen Republik... diese sozialistische Verfassung gegeben.

Art. 1. Die Deutsche Demokratische Republik ist ein sozialistischer Staat deutscher Nation... Die Hauptstadt der Deutschen Demokratischen Republik ist Berlin...

Art. 6 (1). Die Deutsche Demokratische Republik hat getreu den Interessen des deutschen Volkes und der internationalen Verpflichtung aller Deutschen auf ihrem Gebiet den deutschen Militarismus und Nazismus ausgerottet...

Art. 8 (2). Die Herstellung und Pflege normaler Beziehungen und die Zusammenarbeit der beiden deutschen Staaten auf der Grundlage der Gleichberechtigung sind nationales Anliegen der Deutschen Demokratischen Republik. Die Deutsche Demokratische Republik und ihre Bürger erstreben darüber hinaus die Überwindung der vom Imperialismus der deutschen Nation aufgezwungenen Spaltung Deutschlands, die schrittweise Annäherung der beiden deutschen Staaten bis zu ihrer Vereinigung auf der Grundlage der Demokratie und des Sozialismus."

Ausgabe des Staatsverlags der DDR, Berlin (Ost) 1968, S. 5, 9—13

Kritische Bestandsaufnahmen und Standortbestimmungen nach zwei Jahrzehnten Bundesrepublik Deutschland

Über Vorentscheidungen bei der Organisation und über die Fehlentwicklungen der Bundesrepublik Deutschland urteilte 1969 der Politikwissenschaftler Theodor Eschenburg:

63 „Der Name ‚Bundesrepublik Deutschland' statt ‚Deutsche Bundesrepublik' manifestierte auch den Anspruch auf die Rechtsnachfolge des 1871 gegründeten deutschen Staates und damit auch das Recht der Alleinvertretung. Die Bundesrepublik will nicht nur ein deutscher Teilstaat, sondern der alleinige Rechtsnachfolger des Reiches und der einzig legitime Vorläufer eines künftigen Gesamtdeutschland sein. Diese drei Ansprüche [Provisorium, Rechtsnachfolge, Alleinvertretung], aus denen sich die Politik der Nichtanerkennung der DDR ergab, wurden zu einem Hauptthema der Bonner Außenpolitik. Immer wieder mußte die Bundesrepublik die Respektierung dieser Ansprüche in der nichtkommunistischen Welt durch Anpassung, durch Leistungen und Konzessionen honorieren. Das bedeutete ein Handikap ihrer Handlungsfreiheit und stellte zugleich eine erhebliche wirtschaftliche und finanzielle Belastung dar...

Die Problematik der deutschen Frage in ihrer Anlage hat sich in zwanzig Jahren nicht grundlegend verändert. Aber Chancen einer Lösung im Sinne des Grundgesetzes bestehen kaum noch, wenn sie je bestanden haben sollten. Die in erster Linie gesellschafts- und wirtschaftspolitischen Entscheidungen von 1948/49 haben zu so weitgehenden Verfestigungen auf beiden Seiten geführt, daß deren grundlegende Korrektur als nicht mehr möglich erscheint.

Daß die Anerkennung der Oder-Neiße-Linie ein Preis für die Wiedervereinigung sein könnte, war eine deutsche Illusion. Die Grenzanerkennung wäre eine unabdingbare Voraussetzung einer Wiedervereinigung auf jeden Fall gewesen. Vor ungefähr zehn Jahren wurde von Adenauer und Strauß die Forderung nach Wiedervereinigung im Sinne des Grundgesetzes auf die nach Selbstbestimmung der Bevölkerung in der DDR, notfalls unter Aufrechterhaltung der staatlichen Teilung, herabgedrückt — aber ohne jegliche Wirkung auf Moskau und Ostberlin. Jetzt wird, wenn auch nicht ohne starke Widerstände, nach einem Weg gesucht, um einen Modus vivendi von Bundesrepublik und DDR ohne völkerrechtliche Anerkennung zu finden. Die Folge einer Modus-vivendi-Regelung wäre, daß die Ansprüche auf Rechtsnachfolge und Alleinvertretung, aber auch auf Wiedervereinigung im Sinne des Grundgesetzes obsolet würden, wobei die beiden erstgenannten Ansprüche nur Hilfskonstruktionen zur Legitimierung des grundgesetzlichen Wiedervereinigungsanspruchs gewesen waren.

[Ungelöst ist das Problem Westberlin. Die Westalliierten fördern eine Politik, die einen Staatenbund von Bundesregierung und Westberlin postuliert, welcher sich praktisch so auswirkt, als ob ein bundesstaatliches Verhältnis bestände. Dem steht die Doktrin der Ostblockstaaten gegenüber, Westberlin sei der dritte deutsche Staat. Die ‚westliche' Als-ob-Politik ist nicht nur von rechtlichen Regelungen abhängig; sie ist auch angewiesen auf solidarisches Staatsbewußtsein der Berliner und westdeutschen Bevölkerung.

Seit zwanzig Jahren ungelöst ist zudem das Problem der rechtlichen Sicherung des Verkehrs von Westberlin mit der Bundesrepublik. Ihre Notwendigkeit wurde bei der Blockade Berlins durch die Sowjetunion 1948/49 demonstriert. Im Mai 1949 gaben die Russen die Blockade auf, aber gegen den stillschweigenden Verzicht der Westmächte auf eine rechtliche Sicherung des zivilen Verkehrs, die auch später nicht erreicht worden ist.

Eine rechtliche Regelung von Problemen der deutschen Frage wird fortan ohne die DDR nicht mehr möglich sein. Sie hat ihren Spielraum gegenüber der Sowjetunion bis zur Angleichung an den der meisten Satellitenstaaten zu erweitern vermocht, nicht zuletzt durch wirtschaftlichen Aufstieg und innere Konsolidierung. Dazu hat mittelbar auch die Bundesrepublik beigetragen; sie wirkte wider Willen als Schrittmacher der aufsteigenden DDR-Entwicklung;] wie die sowjetische Herrschaft in der Besatzungszone Anlaß zur Gründung der Bundesrepublik gewesen ist."

Theodor Eschenburg: Zur Vorgeschichte der Bundesrepublik, in: Hans Steffen (Hgb.): Die Gesellschaft in der Bundesrepublik. Analysen, Teil I (Kleine Vandenhoeck-Reihe Bd. 312 S), Göttingen 1970, S. 29—31; Teile [] in: Th. Eschenburg, Im Anfang war die Not. Ursachen bundesdeutscher Entwicklung und Fehlentwicklung, in: „Die Zeit", 19. September 1969, S. 9

„Die Staatsräson der Bundesrepublik" versuchte der Historiker und Politikwissenschaftler Waldemar Besson 1970 aus den „verlorenen Traditionen" und der bisherigen „westdeutschen Außenpolitik" zu erschließen:

64 „Seit 1890 stehen die Deutschen gegen den weltpolitischen Status quo... Ein tiefes Mißverständnis der eigenen Lage gewinnt unter den Deutschen Raum, und es hat bis heute nicht aufgehört, in wechselnder Gestalt die deutsche Außenpolitik zu verwirren. Eine erfolgreiche Außenpolitik muß die eigenen Möglichkeiten und Aufgaben nüchtern einschätzen. Für die Bonner Außenpolitik hing alles davon ab, ob ein solcher Realismus möglich war. Er wurde um so notwendiger, als sich die Bundesrepublik ihrer ursprünglichen totalen Abhängigkeit von den Siegern entwand und in freiere Gewässer vordrang. Das Ende des kalten Krieges in Europa machte auch für die deutsche Politik die Frage dringlich, ob tatsächlich der Bruch mit der Kontinuität des Irrtums stattgefunden habe. War die Bundesrepublik zur Haltung Bismarcks zurückgekehrt? War sie bereit, den Status quo zu akzeptieren oder doch wenigstens nur in seinem Rahmen Veränderungen erstreben zu wollen?...
Gerade historisches Denken verlangte nach 1945 das Wissen um die Unwiderruflichkeit des Bruches [mit deutschem Einfluß in Osteuropa]. Wer voreilig Kontinuitäten suchte, der mußte wiederum die Wirklichkeit verfehlen, aus welch noblen Motiven auch immer. Die neue Realität für die Deutschen war die Herrschaft der Sowjetunion bis zur Elbe und die Existenz eines westeuropäischen Brückenkopfes der Amerikaner, der die Bundesrepublik einschloß. Damit mußten die Deutschen diesseits und jenseits der Elbe die gesellschaftlichen Maßstäbe der Sieger in die eigene Politik aufnehmen... Aber freilich, die Annahme eines Traditionsbruchs, wie er 1945 erfolgte, kann man nur in einer Diktatur kollektiv verordnen. Zu viele Menschen lebten vorher und nachher, die ihr Leben und ihre Erfahrungen zusammenzuklammern versuchten. Deswegen ist es psychologisch sehr

verständlich, daß die westdeutsche Politik trotz ihres Wissens um den Einschnitt von 1945 doch auch die Kontinuität wiederherzustellen versuchte und gelegentlich illusionäre Zielsetzungen hervortraten, die von einem Normaljahr 1937 ausgingen...

Historische Erfahrungen und weltpolitische Bedingungen haben so dazu geführt, daß Bonn nicht deutsche, sondern westdeutsche Politik machte und schließlich konsequent von den Erfordernissen des eigenen Staates her dachte und handelte. Daß wir ,westdeutsch' noch so oft mit ,deutsch' gleichsetzen, folgt lediglich aus dem höheren Selbstbewußtsein der Bundesrepublik, die im Gegensatz zur DDR die volle und offen ausgedrückte Zustimmung ihrer Bürger gefunden hat. Daß heute zwei Staaten einer deutschen Nation existieren, wird von Bonn und Ostberlin eingeräumt. Der Begriff der deutschen Nation verweist dabei auf den politisch gefaßten Zusammenhang jener Teile des deutschen Volkes, die seit 1870 eine gemeinsame Geschichte erlebt und erlitten haben. Aber diese Gemeinsamkeit wird trotz der jetzt noch vorhandenen Kraft historischer Erinnerung nur erhalten bleiben, wenn es wieder zu menschlichen Wechselbeziehungen kommt, die eben nach Lage der Dinge Kontakte zwischen den beiden Staaten voraussetzen. Insofern kann man mit Recht davon sprechen, daß es heute vordringlich um die Wiedervereinigung des deutschen Volkes gehe. Daß im übrigen die Bedürfnisse des internationalen Systems und des Gleichgewichts der Mächte Einschränkungen des Selbstbestimmungsrechts zur Folge haben können, ist keine neue Erfahrung. Der Weltfriede ist in der Tat ein höheres Gut als eine Grenzziehung nach dem Willen der betroffenen Bevölkerung. So ist also die weltpolitische Position der Bundesrepublik klar bestimmt."

Waldemar Besson, Die Außenpolitik der Bundesrepublik. Erfahrungen und Maßstäbe,
München 1970, S. 44, 53, 456 f.

Die grundsätzlichen Auseinandersetzungen um den Versuch einer kooperativen Deutschland- und Ostpolitik der Bundesrepublik Deutschland seit 1969

Aus der Regierungserklärung des Bundeskanzlers Willy Brandt vor dem Deutschen Bundestag am 28. Oktober 1969:

65 „Aufgabe der praktischen Politik in den jetzt vor uns liegenden Jahren ist es, die Einheit der Nation dadurch zu wahren, daß das Verhältnis zwischen den Teilen Deutschlands aus der gegenwärtigen Verkrampfung gelöst wird...

20 Jahre nach Gründung der Bundesrepublik Deutschland und der DDR müssen wir ein weiteres Auseinanderleben der deutschen Nation verhindern, also versuchen, über ein geregeltes Nebeneinander zu einem Miteinander zu kommen...

Die Bundesregierung setzt die im Dezember 1966 durch Bundeskanzler Kiesinger und seine Regierung [CDU/CSU und SPD] eingeleitete Politik fort und bietet dem Ministerrat der DDR erneut Verhandlungen beiderseits ohne Diskriminierung auf der Ebene der Regierungen an, die zu vertraglich vereinbarter Zusammenarbeit führen sollen. Eine völkerrechtliche Anerkennung der DDR durch die Bundesregierung kann nicht in Betracht kommen. Auch wenn zwei Staaten in Deutschland existieren, sind sie doch füreinander nicht Ausland; ihre Beziehungen zueinander können nur von besonderer Art sein...

Der Status der unter der besonderen Verantwortung der Vier Mächte stehenden Stadt Berlin muß unangetastet bleiben. Dies darf nicht daran hindern, Erleichterungen für den Verkehr in und nach Berlin zu suchen...

Wir haben das bisherige Ministerium für gesamtdeutsche Fragen entsprechend seinen Aufgaben in Ministerium für innerdeutsche Beziehungen umbenannt...

Unser nationales Interesse erlaubt es nicht, zwischen dem Westen und dem Osten zu stehen. Unser Land braucht die Zusammenarbeit und Abstimmung mit dem Westen und die Verständigung mit dem Osten. Auf diesem Hintergrund sage ich mit starker Betonung: Das deutsche Volk braucht den Frieden im vollen Sinne dieses Wortes auch mit den Völkern der Sowjetunion und allen Völkern des europäischen Ostens. Zu einem ehrlichen Versuch der Verständigung sind wir bereit, damit die Folgen des Unheils überwunden werden können, das eine verbrecherische Clique über Europa gebracht hat.

Dabei geben wir uns keinen trügerischen Hoffnungen hin: Interessen, Machtverhältnisse und gesellschaftliche Unterschiede sind weder dialektisch aufzulösen, noch dürfen sie vernebelt werden. Aber unsere Gesprächspartner müssen auch dies wissen: Das Recht auf Selbstbestimmung, wie es in der Charta der Vereinten Nationen niedergelegt ist, gilt auch für das deutsche Volk. Dieses Recht und dieser Wille, es zu behaupten, können kein Verhandlungsgegenstand sein.

Wir sind frei von Illusionen zu glauben, das Werk der Versöhnung sei leicht oder schnell zu vollenden. Es handelt sich um einen Prozeß; aber es ist an der Zeit, diesen Prozeß voranzubringen ...

Die Politik des Gewaltverzichts, die die territoriale Integrität des jeweiligen Partners berücksichtigt [ausdrücklich auf VR Polen, UdSSR, ČSSR und DDR bezogen], ist nach der festen Überzeugung der Bundesregierung ein entscheidender Beitrag zu einer Entspannung in Europa."

Presse- und Informationsamt der Bundesregierung: Sonderdruck aus dem „Bulletin",
Nr. 132/1969, S. 6 f., 33 f.

Aus der Antwort des Fraktionsvorsitzenden der oppositionellen CDU/ CSU im Deutschen Bundestag, Rainer Barzel, vom 29. Oktober 1969 auf die Regierungserklärung:

66 „Das Wort ‚Wiedervereinigung' kommt in der Regierungserklärung nicht vor ... Herr Bundeskanzler, ... wie wollen Sie Ihre Erklärung von den ‚zwei Staaten in Deutschland' in Einklang bringen mit der Präambel des Grundgesetzes? Wie mit Ihrer Forderung nach Selbstbestimmung aller Deutschen? Und wie mit dieser Erklärung, die wir nach der tschechischen Tragödie gemeinsam ausgearbeitet und hier mit allen Stimmen der CDU/CSU und der SPD gebilligt haben? ... ,Die Anerkennung des anderen Teiles Deutschlands als Ausland oder als zweiter souveräner Staat deutscher Nation kommt nicht in Betracht' ... So erklärten am 25. September 1968 einvernehmlich alle Abgeordneten ... [außer denen der] FDP."

Das Parlament. Die Woche im Bundeshaus, 8. November 1969, S. 2—3

Aus Bundeskanzler Brandts „Bericht zur Lage der Nation" vor dem Deutschen Bundestag am 14. Januar 1970 (vgl. 98):

67 „Patriotismus ... verlangt den Mut zum Erkennen der Wirklichkeit. Dies ist nicht gleichbedeutend damit, daß man diese Wirklichkeit als wünschenswert ansieht, oder daß man auf die Hoffnung verzichtet, sie ließe sich im Laufe längerer Zeiträume ändern. Aber die Aufrichtigkeit, ohne die keine Politik auf Dauer geführt werden kann, verpflichtet uns ..., keine Forderungen zu erheben, deren Erfüllung in den Bereich der illusionären Wunschvorstellungen gehört ...

Es geht... darum, Wirklichkeiten, Realitäten zu erkennen, und zu respektieren — dies nicht etwa gar, um bestehendes Unrecht resignierend hinzunehmen, sondern um sehr realitätsbezogen unseren Beitrag dazu zu leisten im Laufe der Jahre, daß den Grenzen in Europa der Charakter des Trennenden genommen wird..."

Sonderdruck aus dem „Bulletin" des Presse- und Informationsamtes der Bundesregierung, Bonn, Nr. 5/1970, S. 3 ff.

Aus Brandts „Zwanzig Punkten von Kassel". Am 21. Mai 1970 erwiderte der Vorsitzende des Ministerrats der DDR, Stoph, den Besuch des Bundeskanzlers Brandt vom 19. März 1970 in Erfurt. Dabei formulierte Brandt „unsere Vorstellungen über Grundsätze und Vertragselemente für die Regelung gleichberechtigter Beziehungen zwischen der Bundesrepublik Deutschland und der Deutschen Demokratischen Republik":

68 „1. Die Bundesrepublik Deutschland und die Deutsche Demokratische Republik, die in ihren Verfassungen auf die Einheit der Nation ausgerichtet sind, vereinbaren im Interesse des Friedens sowie der Zukunft und des Zusammenhalts der Nation einen Vertrag, der die Beziehungen zwischen den beiden Staaten in Deutschland regelt, die Verbindungen zwischen der Bevölkerung der beiden Staaten verbessert und dazu beiträgt, bestehende Benachteiligung zu beseitigen. 2. Der Vertrag soll in den verfassungsgemäß vorgesehenen Formen den gesetzgebenden Körperschaften beider Seiten zur Zustimmung zugeleitet werden. 3. Die beiden Seiten sollen ihren Willen bekunden, ihre Beziehungen auf der Grundlage der Menschenrechte, der Gleichberechtigung, des friedlichen Zusammenlebens und der Nichtdiskriminierung als allgemeinen Regeln des zwischenstaatlichen Rechts zu ordnen. 4. Beide Seiten unterlassen jede Androhung oder Anwendung von Gewalt gegeneinander und verpflichten sich, alle zwischen ihnen anhängigen Fragen mit friedlichen Mitteln zu lösen. Dies umschließt die Achtung der territorialen Integrität und der Grenzen. 5. Beide Seiten respektieren die Unabhängigkeit und Selbständigkeit jedes der zwei Staaten in Angelegenheiten, die ihre innere Hoheitsgewalt betreffen. 6. Keiner der beiden deutschen Staaten kann für den anderen handeln oder ihn vertreten. 7. Die vertragschließenden Seiten erklären, daß niemals wieder ein Krieg von deutschem Boden ausgehen darf. 8. Sie verpflichten sich, alle Handlungen zu unterlassen, die geeignet sind, das friedliche Zusammenleben der Völker zu stören. 9. Beide Seiten bekräftigen ihren Willen, alle Bemühungen um Abrüstung und Rüstungskontrolle zu unterstützen, die der Erhöhung der Sicherheit Europas dienen. 10. Der Vertrag muß von den Folgen des Zweiten Weltkriegs und von der besonderen Lage Deutschlands und der Deutschen ausgehen, die in zwei Staaten leben und sich dennoch als Angehörige einer Nation verstehen. 11. Die jeweiligen Verpflichtungen gegenüber der Französischen Republik, dem Vereinigten Königreich von Großbritannien und Nordirland, den Vereinigten Staaten von Amerika und der UdSSR, die auf den besonderen Rechten und Vereinbarungen dieser Mächte über Berlin und Deutschland als Ganzes beruhen, bleiben unberührt. 12. Die Viermächtevereinbarungen über Berlin und Deutschland werden respektiert. Das gleiche gilt für die Bindungen, die zwischen West-Berlin und der Bundesrepublik Deutschland entstanden sind. Beide Seiten verpflichten sich, die Bemühungen der vier Mächte um eine Normalisierung der Lage in und um Berlin zu unterstützen. 13. Beide Seiten werden prüfen, auf welchen Gebieten Kollisionen zwischen der Gesetzgebung der beiden Staaten bestehen; sie werden darauf hinwirken, daß Kollisionen beseitigt werden, um Nachteile für Bürger beider Staaten in Deutschland zu vermeiden. Dabei werden sie von dem Grundsatz ausgehen, daß die Hoheitsgewalt jeder Seite sich auf ihr Staatsgebiet beschränkt. 14. Der Vertrag soll Maßnahmen vorsehen, die den gegenseitigen Reiseverkehr erweitern und das Ziel der Freizügigkeit anstreben. [15. Familienzusammenführung; 16. Kommunale Zusammenarbeit über ‚die gemeinsame Grenze‘ hinweg; 17. Zusammenarbeit, u. a. auf den Gebieten des Verkehrs, des Post- und Fernmeldewesens... und des Sports‘.] 18.... Die Handelsbeziehungen sollen weiter ausgebaut werden. 19. Die beiden Regierungen ernennen Bevollmächtigte im Ministerrang und errichten Dienststellen für die ständigen Beauftragten der Bevollmächtigten. Die Aufgaben der Bevollmächtigten und ihrer Beauftragten werden im einzelnen festgelegt. Ihnen werden am Sitze der jeweiligen Regierung Arbeitsmöglichkeiten gegeben und die notwendigen Erleichterungen und Vergünstigungen gewährt. 20. Die Bundesrepublik Deutschland und die Deutsche Demokratische Republik werden auf der Grundlage des zwischen ihnen zu vereinbarenden Vertrages die notwendigen Vorkehrungen treffen, um ihre Mitgliedschaft und Mitarbeit in internationalen Organisationen zu regeln ..."

Karl Theodor Frh. von und zu Guttenberg (CSU) sagte am 27. Mai 1970
vor dem Deutschen Bundestag:

69 „Wir sind nicht bereit, sogenannte Realitäten zu achten, zu respektieren oder gar anzuerkennen, die den Namen ‚Unrecht‘
tragen. Ich frage: Ist hier einer, der ernsthaft vorbringen wollte,
daß Unrecht dadurch Recht würde, daß es Jahre, ja Jahrzehnte
dauert?... Wäre einer hier bereit..., seinen Frieden mit Adolf Hitler zu machen, wenn es diesem Mann gelungen wäre, 37 Jahre durch-
zuhalten? Ich sage... dreimal nein. Aus dem gleichen Grunde kann
es keine Anerkennung für neues Unrecht auf deutschem Boden, für
Herrn Ulbricht geben. Dies vorausgeschickt, sage ich jetzt, Herr
Bundeskanzler, offen und deutlich: Ich bin davon überzeugt, daß
Ihre Regierung auf Anerkennungskurs liegt. Dieser Kurs wird dazu
führen, daß eines Tages der Schutz der NATO zerbröckelt und die
Sowjetunion ihre Vorherrschaft über ganz Europa gewinnen kann.
Gewiß, Herr Bundeskanzler, werden Sie mein Wort bestreiten, daß
Ihre Regierung auf Anerkennungskurs liege... Sie werden sagen,
daß Sie am Selbstbestimmungsrecht festhielten und daß Sie vorhät-
ten, den Sowjets wenigstens einseitig zu erklären, Ihr Ziel sei nach
wie vor die Wiedervereinigung Deutschlands durch Selbstbestimmung. Aber, Herr Bundeskanzler, all das ist. — erlauben Sie mir, ein
Wort von Ihnen aufzugreifen — nun wirklich Formelkram. Denn
diesen theoretisch-abstrakten Rechten und Zielsetzungen steht Ihre
konkrete Politik gegenüber, die diesen theoretischen Maximen dia-
metral entgegensteht... Spüren Sie nicht selbst, Herr Bundeskanzler, daß diese... Widersprüche Ihnen selbst und Ihrer Haltung in
ständig steigendem Maße eine Sprache aufzwingen, die viele...
schlechterdings erschrecken läßt? Dort nämlich, wo Ihre Regierung
offenbar versucht, einen Vertrag mit der Sowjetunion durch Formeln zustande zu bringen, die von beiden Seiten mit verschiedenen
Inhalten gefüllt werden...
Ein anderer Begriff, den wir täglich hören, [ist] jener von der ‚Normalisierung‘. Wann wird es denn in Deutschland wieder normal sein
— es sei denn, man setzt die Sprache außer Kraft —? Doch erst
dann, wenn es keine Mauer mehr gibt und keine Schüsse in der
Nacht, sondern Menschenrechte für alle Deutschen. Ist dies mit dem
Wort von der Normalisierung gemeint oder etwa ein Vertrag, in
dem uns sage und schreibe, wenn Worte noch einen Sinn haben, zu-
gemutet wird, zu respektieren, was die Männer, die drüben Verantwortung haben, in ihrem Hoheitsbereich geregelt haben? So steht es
in Punkt 5 der Vorschläge des Bundeskanzlers von Kassel.
Ein drittes Beispiel für diese neue, diese erschreckende Sprache. Diese
Bundesregierung sagt, sie spreche nur für die Bundesrepublik. Ich

widerspreche, Herr Bundeskanzler... Ich brauchte noch nicht einmal eine Verfassung, ich brauche nur mein Gewissen, das mir sagt, daß ich als Abgeordneter in diesem Hause Verantwortung für mein ganzes Volk trage und damit also auch und vor allem für jene, die zum Schweigen verurteilt sind. Deswegen wehre ich mich gegen den Trick — Trick sage ich —, nach welchem die Bundesregierung die Oder-Neiße-Linie als polnische Westgrenze deshalb anerkennen könne, da sie ja nur für die Bundesrepublik und eben nicht und in keiner Weise für alle Deutschen sprechen könne; denn niemand kann uns, die frei gewählten Abgeordneten des deutschen Volkes, aus der Pflicht entlassen, uns um das Schicksal des ganzen Volkes zu kümmern. Wir sollten auch keinen Augenblick vergessen, daß unter dieser Chiffre der Oder-Neiße mehr und anderes verstanden werden muß als eine bloße Grenzfrage, nämlich vor allem verletztes Menschenrecht...

Noch auf einem weiteren Gebiet wird heute von unserer Regierung eine neue, eine andere und eine nach meiner Überzeugung falsche und gefährliche Sprache gesprochen; dort nämlich, wo man glaubt, die Wirklichkeit, die volle Wirklichkeit jedenfalls, verschweigen oder beschönigen zu müssen, weil man fürchtet, die ganze Wahrheit auszusprechen, könne der erwünschten Zusammenarbeit und Verständigung mit den Machthabern drüben im Wege stehen. Aber, Herr Bundeskanzler, bei allem Verständnis für Ihr politisches Argument, es gibt ein Argument, das weit, weit mehr wiegt, das Argument nämlich, daß die Demokratie davon lebt, daß die Demokraten die Wahrheit sagen, und zwar die ganze Wahrheit.

Glauben Sie mir, Herr Bundeskanzler, ... Demokraten können nicht straflos ständig von der Gleichberechtigung zwischen diesem freien Deutschland hier und einem kommunistischen Zwangsregime drüben auf deutschem Boden reden. Und glauben Sie mir, es kann nur wie ein schleichendes Gift im Körper unserer Demokratie wirken, wenn einerseits führende Männer... sich immer wieder der verbalen Verwischung der fundamentalen Unterschiede zwischen drüben und hier schuldig machen und wenn andererseits jene, die das aussprechen, was ist, die also Terror Terror und Mord an der Mauer Mord an der Mauer nennen, als unbelehrbare kalte Krieger verschrien werden...

Auch wir wissen nicht, wann die Stunde der Freiheit jenseits von Mauer und Stacheldraht wieder schlagen wird. Wir wissen aber dies: daß sie dann nie wieder schlagen würde, wenn wir, die freien Deutschen, bereit wären, vor schierer Macht und bloßer Gewalt in die Knie zu gehen. Und wir wissen, daß unsere Unterwerfung unter den Willen der Sowjetmacht dieser den Weg öffnen würde hinein ins freie Europa."

Flugblatt der Deutschland-Stiftung e.V., Breitbrunn/Chiemsee, 1970, S. 3—4

Mit der These der „Bindung aller Politik an elementare (naturrechtliche) Rechtsgrundsätze" setzte sich der Rechtswissenschaftler und Historiker Ernst Wolfgang Böckenförde auseinander. Er antwortete Frh. v. Guttenberg:

70 „Ein Nichtbestehen auf der vollen Anerkennung oder Erfüllung dieser Rechtsgrundsätze erscheint für diese Position als ‚Verrat am Recht', als Preisgabe einer an das Recht gebundenen und auf seine Verwirklichung zielenden Politik...
Analysiert man diese Position..., so ist ihrem Ausgangspunkt durchaus zuzustimmen. Eine Politik, die sittlich verantwortbar sein will, kann nicht darauf verzichten, die elementaren Rechte der einzelnen und eines Volkes festzuhalten, sie zu verteidigen, für ihre Gewährleistung und Verwirklichung zu arbeiten... Aber welche praktischen politischen Folgerungen sind daraus zu ziehen, um diese Ziele zu verwirklichen, sie nicht entgleiten zu lassen? Hier beginnt das eigentliche Problem. Recht, es mag so gut begründet sein und so unantastbar scheinen wie immer, verwirklicht und gewährleistet sich nicht von selbst; es ist nicht schon dadurch real vorhanden und in Geltung, daß es behauptet, beschworen, immer wieder gefordert wird, daß es in unserem Bewußtsein lebendig ist, sondern erst dadurch, daß es im tätigen Handeln der Menschen oder von Menschen geschaffener und getragener Institutionen vollzogen, beobachtet, notfalls gegen Widerstrebende unter Anwendung von Zwang durchgesetzt wird. Das Recht bedarf der Tat, um wirklich zu sein, entweder der Anerkennung (und damit des Vollzugs im Handeln) durch diejenigen, für deren Verhalten es gelten soll, oder der Macht, genauer: der machtmäßigen Sanktionen und Durchsetzung als seiner Schutzwehr, damit es auch ohne Anerkennung zur Geltung gelangt.
Dieser Sachverhalt tritt im innerstaatlichen Bereich weniger deutlich hervor, weil hier einerseits eine breite Loyalität gegenüber der Rechtsordnung besteht, andererseits Institutionen und Verfahren geschaffen worden sind, die das Recht im Streitfall unparteiisch feststellen und es dann scheinbar ‚wie von selbst' durchsetzen — die bedeutende politische Kulturleistung, die der moderne Staat als Friedensordnung und Rechtsgemeinschaft darstellt. Aber im zwischenstaatlichen Bereich, wo übergeordnete Instanzen fehlen, die eine allgemeine Rechtsordnung zwischen und gegenüber den Staaten schaffen, streitiges Recht ihnen gegenüber verbindlich feststellen und so auch durchsetzen können, liegt es offen zutage. Die Ohnmacht der Vereinten Nationen, durch Appelle, Resolutionen und Vermittlungsangebote im Nahost-Konflikt zu schlichten, ein friedenbegünstigendes Recht zu schaffen und zu garantieren, ist der nachdrücklichste Beweis dafür.

Was folgt aus diesem Sachverhalt? ... Wer es für eine unabdingbare Aufgabe der Politik erklärt, für die elementaren Rechte der einzelnen und der Völker einzutreten, sie zu verteidigen und zu verwirklichen — muß ... auch bereit sein, wenn alle anderen Wege erschöpft und erfolglos sind, diese Rechte unter Einsatz äußerer Machtmittel gegenüber Angriffen zu verteidigen und von denen, die sie verweigern, einzufordern. Schließt er diese Konsequenz zwar nicht für psychologische und wirtschaftliche Machtmittel, wohl aber für militärische Machtmittel von vornherein aus, wie es einer Politik im Zeichen des Gewaltverzichts entspricht, so bringt er sich von seinen Voraussetzungen her selbst in die Lage, vor ‚schierer Macht und bloßer Gewalt in die Knie‘ zu gehen (v. Guttenberg), nur an einer späteren Stelle. Politik als Kampf ... um die Verwirklichung des Rechts schließt, prinzipiell, also hinsichtlich ihrer Folgerichtigkeit betrachtet, entweder die Möglichkeit eines auch bewaffneten Kampfes für das Recht ein, oder verflüchtigt sich von dem Punkt an, wo andere Sanktionen und Machtmittel nicht zur Verfügung stehen oder wirkungslos bleiben, in eine Deklamation, der die Möglichkeit, auf die gegebene Wirklichkeit politisch einzuwirken, entgleitet.

Was besagt das? Weder, daß die Position, wie sie der Freiherr von Guttenberg vertritt, als eine insgeheim kriegerische zu qualifizieren wäre — sie ist es nicht —, noch, daß die Politik des Gewaltverzichts, die die erklärte Grundlage aller Außenpolitik der Bundesrepublik seit ihrem Bestehen bildet, irgendwie in Frage zu stellen wäre. Aber es zeigt den unausgetragenen und nicht aufhebbaren Widerspruch, in dem sich diese Position in einer Situation verstrickt, in der der Verzicht auf (militärische) Gewalt als Mittel der Politik selbst ein Erfordernis des Rechts, das auf den Frieden bezogen ist, wird und darüber hinaus ein Diktat der politischen Vernunft, weil es eine Bedingung des Überlebens ist.

Nimmt man diesen Gewaltverzicht ernst, als Ausdruck des Willens zu einer dauernden Friedensordnung und als Einsicht in die Bedingungen des Überlebens in der heutigen Weltsituation, so verändert das nicht nur die Strategie für eine Verwirklichung elementarer Rechte durch die Mittel der Politik grundlegend, es verändert auch die eingangs skizzierte Ausgangslage für das Verhältnis von Recht und Politik ... Es heißt ebenso, daß der territoriale und hegemoniale Status quo, wie er aus dem Zweiten Weltkrieg entstanden ist, in der objektiven Wirklichkeit bereits ‚festgeschrieben‘ ist, nicht erst durch eine Anerkennung festgeschrieben wird ...

Es mag schwerfallen, auch diese Situation als Teil der gegebenen Wirklichkeit zu akzeptieren ...

Der einseitigen Rechtsbehauptung und Rechtsverwahrung als Mittel der Politik entgleitet angesichts der aus tatsächlichen wie auch aus rechtlichen Gründen bestehenden Unmöglichkeit, diese Rechte vermittels äußerer Macht durchzusetzen, die politische Realität und der Fortgang der politischen Entwicklung; sie bewirkt, ganz gegen ihre Intention, nicht eine Auflockerung, sondern eine Stabilisierung der bestehenden Machtverhältnisse, weil sie der anderen Seite, die sich auf diese Forderungen und Rechtsbehauptungen nicht einläßt, ein durch keinerlei ‚Normalisierung‘ begrenztes oder gebundenes Aktionsfeld überläßt.

Daraus ergibt sich eine wichtige Folgerung: Ist dies die objektivpolitische Funktion der eingangs skizzierten Position und ihrer Verhältnisbestimmung von Politik und Recht, so lautet die wirkliche Alternative nicht: Wahrung elementarer Rechte oder Kapitulation vor ‚schierer Macht und Gewalt‘, sondern nur: weitere Konsolidierung des jetzt bestehenden Status quo oder Chance zu seiner Beeinflussung auf der Basis eines neu ausgehandelten Miteinander. Das ist die eigentliche politische Entscheidungsfrage, die durch die Argumente der parlamentarischen Debatte manchmal mehr verdeckt als offengelegt wird...

Soll... etwas über das Einfrieren des jetzigen Status quo und den Fortbestand wechselseitiger Konfrontation hinaus erreicht werden, so geht das, treffen die bisherigen Überlegungen zu, nur über eine ‚Normalisierung‘, deren Bedingungen miteinander ausgehandelt werden müssen. Auch die Rechtsbasis für eine solche ‚Normalisierung‘ kann nicht einseitig vorausgesetzt, aus ‚dem Recht‘ deduziert werden, sie muß, besonders nach einem Krieg wie dem letzten, erst neu geschaffen werden. Dabei ist es unvermeidlich, von bestehenden Machtgegebenheiten zunächst auszugehen, gerade um ihre Bedrohlichkeit zu überwinden. Beide Seiten unterliegen mit ihren Forderungen und Rechtsverwahrungen dem Zwang zur Einigung, und eine solche Einigung ist etwa mit Polen und der Sowjetunion ungleich schwieriger als mit den westlichen Ländern. Einmal besteht der politisch-ideologische Antagonismus fort, zum anderen sind hier nicht nur die Folgen eines begonnenen und verlorenen Krieges zu bereinigen, sondern darüber hinaus die Folgen totaler Gewaltsamkeit und Mißachtung jeder Art von Rechtsbindung, die dann ihrerseits das Unrecht der Vertreibung der Deutschen zur Folge hatte.

Eine ‚Normalisierung‘ und die Herstellung einer neuen, von beiden Seiten akzeptierten Rechtsbasis verbürgt nicht eo ipso eine Beeinflussung oder Veränderung des Status quo, sie eröffnet nur eine Chance dazu. Keine Politik, die nicht nur etwas bewahren, sondern etwas Neues erreichen will, ist ohne Risiko. Es hängt viel von... der Aktualisierung [ab], die ihr in der politischen Praxis gegeben wird.

Hier liegt ein weites Feld der politischen Abwägung, des politischen Kalküls und schließlich der Entscheidung; hier liegt damit auch das eigentliche Feld der politischen Auseinandersetzung und Diskussion, nicht zuletzt zwischen Regierung und Opposition. Nur darf diese Auseinandersetzung nicht übersehen, daß es, wenn überhaupt einen, dann nur den Weg der ‚Normalisierung‘ und der schwierigen kleinen Schritte gibt, um die bereits eingetretene Festschreibung des Status quo ein wenig zu lockern."

Ernst-Wolfgang Böckenförde: Wendung zu einer rechtlosen Politik? Eine Normalisierung muß auf einer neuen Rechtsbasis ausgehandelt werden. „Frankfurter Allgemeine Zeitung",
27. Oktober 1970, S. 12

Der Streit um den Moskauer Vertrag der Bundesrepublik Deutschland mit der UdSSR 1970

Die Vorverhandlungen in Moskau: Das „Bahr-Papier". Die geheimen Aufzeichnungen des Staatssekretärs im Bundeskanzleramt, Egon Bahr, über das Ergebnis seiner „Sondierungsgespräche" mit dem Außenminister der UdSSR, Andrej Gromyko, vom Januar bis Mai 1970 in Moskau; Punkte 1—4 wurden am 12. Juni 1970 in „Bild" veröffentlicht.

71 „1. Die Bundesrepublik Deutschland und die UdSSR betrachten es als wichtiges Ziel ihrer Politik, den internationalen Frieden aufrechtzuerhalten und die Entspannung zu erreichen. Sie bekunden ihr Bestreben, die Normalisierung der Lage in Europa zu fördern, und gehen hierbei von der in diesem Raum wirklichen Lage und der Entwicklung friedlicher Beziehungen auf dieser Grundlage zwischen allen europäischen Staaten aus.
2. Die Bundesrepublik Deutschland und die UdSSR werden sich in ihren gegenseitigen Beziehungen sowie in Fragen der Gewährleistung der europäischen und internationalen Sicherheit von den Zielen und Prinzipien, die in der Satzung der Vereinten Nationen niedergelegt sind, leiten lassen.
Demgemäß werden sie ihre Streitfragen ausschließlich mit friedlichen Mitteln lösen und übernehmen die Verpflichtung, sich in Fragen, die die europäische Sicherheit berühren, sowie in ihren bilateralen Beziehungen gemäß Art. 2 der Satzung der UN der Drohung mit Gewalt oder der Anwendung von Gewalt zu enthalten.
3. Die Sowjetunion und die Bundesrepublik Deutschland stimmen in der Erkenntnis überein, daß der Friede in Europa nur erhalten werden kann, wenn niemand die gegenwärtigen Grenzen antastet. Sie verpflichten sich, die territoriale Integrität aller Staaten in Europa in ihren heutigen Grenzen uneingeschränkt zu achten.

Sie erklären, daß sie keine Gebietsansprüche gegen irgend jemand haben und solche in Zukunft auch nicht erheben werden.

Sie betrachten heute und künftig die Grenzen aller Staaten in Europa als unverletzlich, wie sie am Tage der Unterzeichnung dieses Abkommens verlaufen, einschließlich der Oder-Neiße-Linie, die die Westgrenze Polens bildet, und der Grenze zwischen der Bundesrepublik Deutschland und der DDR.

4. Das Abkommen zwischen der Bundesrepublik Deutschland und der UdSSR berührt nicht die früher geschlossenen zweiseitigen und mehrseitigen Verträge und Abkommen beider Seiten.

5. Zwischen der Regierung der Bundesrepublik Deutschland und der Regierung der UdSSR besteht Einvernehmen darüber, daß das von ihnen zu schließende Abkommen (über... einzusetzen die offizielle Bezeichnung des Abkommens) und entsprechende Abkommen (Verträge) der Bundesrepublik Deutschland mit anderen sozialistischen Ländern, insbesondere die Abkommen (Verträge) mit der DDR (vgl. Ziffer 6), der Volksrepublik Polen und der ČSSR (vgl. Ziffer 8), ein einheitliches Ganzes bilden.

6. Die Regierung der Bundesrepublik Deutschland erklärt ihre Bereitschaft, mit der Regierung der DDR ein Abkommen zu schließen, das die zwischen Staaten übliche gleiche verbindliche Kraft haben wird wie andere Abkommen, die die Bundesrepublik Deutschland und die DDR mit dritten Ländern schließen.

Demgemäß will sie ihre Beziehungen zur DDR auf der Grundlage der vollen Gleichberechtigung, der Nichtdiskriminierung, der Achtung der Unabhängigkeit und der Selbständigkeit jedes der beiden Staaten in Angelegenheiten, die ihre innere Kompetenz in ihren entsprechenden Grenzen betreffen, gestalten.

Die Regierung der Bundesrepublik Deutschland geht davon aus, daß sich auf dieser Grundlage, nach der keiner der beiden Staaten, den anderen im Ausland vertreten oder in seinem Namen handeln kann, die Beziehungen der DDR und der Bundesrepublik Deutschland zu dritten Staaten entwickeln werden.

7. Die Regierung der Bundesrepublik Deutschland und die Regierung der UdSSR bekunden ihre Bereitschaft, im Zug der Entspannung in Europa und im Interesse der Verbesserung der Beziehungen zwischen den europäischen Ländern, insbesondere der Bundesrepublik Deutschland und der DDR, Schritte zu unternehmen, die sich aus ihrer entsprechenden Stellung ergeben, um den Beitritt der Bundesrepublik Deutschland und der DDR zur Organisation der Vereinten Nationen und zu deren Sonderorganisationen zu fördern.

8. Zwischen der Regierung der Bundesrepublik Deutschland und

der Regierung der UdSSR besteht Einvernehmen darüber, daß die mit der Ungültigkeit des Münchener Abkommens verbundenen Fragen in Verhandlungen zwischen der Bundesrepublik Deutschland und der ČSSR in einer beiden Seiten annehmbaren Form geregelt werden sollten.

9. Die Regierung der Bundesrepublik Deutschland und die Regierung der UdSSR werden die wirtschaftlichen, wissenschaftlichtechnischen, kulturellen und sonstigen Beziehungen zwischen der Bundesrepublik Deutschland und der UdSSR im Interesse beider Seiten und der Festigung des Friedens in Europa fortentwickeln.

10. Die Regierung der Bundesrepublik Deutschland und die Regierung der UdSSR begrüßen den Plan einer Konferenz über Fragen der Festigung der Sicherheit und Zusammenarbeit in Europa und werden alles von ihnen Abhängende für ihre Vorbereitung und erfolgreiche Durchführung tun."

„Quick". München, 8. Juli 1970 (erschienen 1. Juli 1970), S. 21 f. Ebenso „Bild"-Zeitung, 1. Juli 1970, sowie AdG 1970, S. 15575 f.

Resolution des CSU-Parteitages am 4. Juli 1970. Sie wurde von Karl Theodor Freiherr von und zu Guttenberg MdB und Richard Stücklen MdB formuliert:

72 „Was Brandt sagt und was wahr ist.

1. Richtschnur und Ziel der Deutschland- und Ostpolitik ist das Selbstbestimmungsrecht des deutschen Volkes... 5. Sog. Gewaltverzichtsverträge, die in Wahrheit der Festschreibung des sowjetischen Besitzstandes dienen und die von der Sowjetregierung gegen die Bundesrepublik behaupteten Gewaltvorbehalte nicht ausräumen, sind mit dem Selbstbestimmungsrecht der Deutschen unvereinbar. Sie gefährden darüber hinaus den Frieden, da sie den sowjetischen Imperialismus ermutigen... 8. Die notwendige Aussöhnung zwischen Deutschen und Polen ist nicht durch reaktionäre und nationalstaatliche Grenzformeln zu lösen; es müssen Lösungen für das verletzte Menschenrecht auf beiden Seiten erreicht werden, die von den Völkern als gerecht empfunden und von den kommenden Generationen getragen werden können. 9. Die deutsche Frage wird erst dann zu lösen sein, wenn Europa seine auf dem Selbstbestimmungsrecht der Völker ruhende Friedensordnung gefunden haben wird. Dieses Ziel anzustreben bedeutet, auf der Basis eines starken atlantischen Bündnisses und mit einer konsequent westeuropäischen Einigungspolitik unter strikter Wahrung der Freiheitsrechte der Deutschen die Verständigung mit dem Osten zu suchen."

„Bayernkurier", „Eigentümer: Christlich-Soziale Union in Bayern e.V., Herausgeber: Dr. h. c. Franz Josef Strauß", München, 11. Juli 1970, S. 12

Gegen eine „Lebenslüge" der Bundesrepublik Deutschland und für eine realistische Deutschland- und Ostpolitik sprach sich der Bundesminister für wirtschaftliche Zusammenarbeit, Erhard Eppler (SPD), am 11. Juli 1970 in der Evangelischen Akademie Tutzing aus; er verteidigte die Moskauer Verhandlungen („Bahr-Papier"):

73 „Nur wer von Realitäten ausgeht, wer sie zu den Akten nimmt, kann sie langfristig verändern... Indem wir die uns unangenehmen Realitäten zu den Akten genommen haben, haben wir die DDR gezwungen, sich den ihr unangenehmen Realitäten zu stellen... Auf der Passivseite mag man verbuchen, daß die Bundesrepublik von der ‚bestehenden wirklichen Lage' in Europa ausgeht... Ich kann mir allerdings nicht vorstellen, wie die Bundesrepublik dem entgehen soll. Im Grunde genommen verzichten wir dabei lediglich auf eine Lebenslüge, die unsere Innen- und Außenpolitik verkrampft und vergiftet hat..."

Vorstand der SPD (Hgb.): Tatsachen und Argumente Nr. 296, S. 4—5

Urteil des Historikers und Publizisten Theo Sommer:

74 „Willy Brandt geht davon aus, daß die Respektierung und Akzeptierung der Wirklichkeit nicht eine Kapitulation vor Moskaus Machtwillen ist, sondern eine fällige Liquidierung der deutschen Vergangenheit. Kapitulation wäre sie nur, wenn nicht zugleich auch die für uns wesentlichen Realitäten durch die Gewaltverzichtsregelung bestätigt und gesichert würden — vor allem die Realitäten in und um Berlin. Das Abschreiben der alten Illusionen hingegen — Wiedervereinigung durch freie Wahlen, Revision der Oder-Neiße-Grenze, tatenloses Warten auf einen Friedensvertrag — schafft die Voraussetzung für politisches Handeln. Es ist Entlastung, nicht Unterwerfung.
Nicht daß der Erfolg der neuen Politik damit auch schon verbürgt sei. Fest steht nur, daß ohne das Ballastabwerfen noch... nicht einmal die Möglichkeit neuer Entwicklungen bestünde — Entwicklungen, wie sie seit langem ja auch die Entspannungspolitik der westlichen Verbündeten zu fördern hofft."

Theo Sommer, Das Wagnis des Ausgleichs. Ostpolitik auf Adenauers Spuren: der Vollzug des Notwendigen, in: „Die Zeit", 31. Juli 1970, S. 1

„Äußerungen des sowjetischen Außenministers in den Verhandlungen mit dem Bundesminister des Auswärtigen am 29. Juli 1970" in Moskau:

75 „1. Zur Frage der Anerkennung der Grenzen. Wir sind Ihnen entgegengekommen in der Grenzfrage, als wir den Begriff Anerkennung fallengelassen haben. Das war für uns ein sehr komplizierter und politisch schmerzhafter Prozeß.

2. Zur Frage einvernehmlicher Grenzänderungen. Jetzt etwas, um Ihre Bedenken zu zerstreuen. Wenn zwei Staaten freiwillig ihre Vereinigung beschließen, oder Grenzen zu korrigieren, wie wir das selbst mit Norwegen, Afghanistan und Polen, dort sogar mehrmals, gemacht haben, oder wenn die Staaten z. B. ihre gemeinsamen Grenzen aufgeben und sich vereinigen wollen wie Syrien und Ägypten, so wäre uns nicht eingefallen, hier zu kritisieren, denn dies ist Ausdruck der Souveränität und gehört zu den unveräußerlichen Rechten der Staaten und Völker. Wer hier Fragen stellt, sieht Probleme, wo keine sind.

3. Zur Frage der Wiedervereinigung Deutschlands. Die dritte Frage, in der wir Ihnen entgegengekommen sind, ist die Wiedervereinigung Deutschlands als zukünftige Perspektive. Ihre Position ist klar, die unsere auch. Auch wir haben unsere Vorstellung, wie die künftige deutsche Einheit beschaffen sein soll.

Wir könnten einen Vertrag machen, der das Kreuz über alle Pläne zur Wiedervereinigung Deutschlands setzen würde. Dann stünde jede Äußerung über die Wiedervereinigung im Gegensatz zum Vertrag.

Zur Frage eines Interventionsanspruchs.

Die zweite prinzipielle Frage, in der wir Ihnen entgegengekommen sind, ist der Gewaltverzicht unter Berücksichtigung der UNO-Satzung. Wir verstehen Ihr Interesse an dieser Frage. Die Geschichte kann man nicht widerrufen. Aus ihr folgte eine Bestimmung der UNO-Satzung. Wir haben uns trotzdem entschlossen, mit Ihnen einen Gewaltverzicht abzuschließen, d. h. die Verpflichtung zu übernehmen und sie zu ratifizieren. In dem von uns angenommenen Text steht das Wort ‚ausschließlich‘ (mit friedlichen Mitteln). Wir haben keinerlei Ausnahmen vorgesehen. Das ist unsere Antwort auf Ihre innenpolitische Diskussion. Ich betone erneut das Wort ‚ausschließlich‘. Glauben Sie, daß das für uns nur ein Fetzen Papier ist? Das ist es nicht."

Presse- und Informationsamt der Bundesregierung (Hgb.): Bulletin Nr. 186, S. 2017, vom 15. Dezember 1971, Anlagen 1 und 2 zur Denkschrift anläßlich der Einleitung des Ratifizierungsverfahrens zu den Verträgen von Moskau und Warschau

Bestandteile des Vertragswerks zwischen der Bundesrepublik Deutschland und der UdSSR:

76 1. Vertrag zwischen beiden Staaten (78).
   2. Brief zur deutschen Einheit (79).
3. Note der Bundesregierung an die Westmächte (77).
4. Erklärungen Scheels zur Berlin-Frage, d. h. daß der Vertrag erst wirksam wird, wenn eine Sicherung Berlins erfolgt. Dieser Ratifizie-

rungsvorbehalt soll bei der Unterzeichnung nicht wiederholt werden (s. „Bulletin" der Bundesregierung v. 17. August 1970, S. 1111).

5. Protokollnotizen der Verhandlungen, die gemäß Absprache im Ratifizierungsverfahren verwendet werden können und u. a. die „europäische Option" (Änderung und Aufhebung der Grenzen in friedlicher Absprache auf dem Weg zu einem europäischen Bundesstaat) enthalten.

6. Als Nebenabreden die Leitsätze des „Bahr-Papiers", soweit sie nicht in den Vertrag eingegangen sind (71, Abs. 5—8, 10), als politische, nicht als juristische Bindungen für den Vollzug der Politik beider Regierungen.

Nach Angaben des Staatssekretärs Conrad Ahlers, „Frankfurter Rundschau",
10. August 1970, S. 2

Note der Bundesregierung an die Westmächte. Aus der Note der Regierung der Bundesrepublik Deutschland an die Regierungen der USA, Großbritanniens und Frankreichs vom 7. August 1970 zum bevorstehenden Moskauer Vertrag mit der UdSSR:

77 „Der Bundesminister des Auswärtigen hat im Zusammenhang mit den Verhandlungen den Standpunkt der Bundesregierung hinsichtlich der Rechte und Verantwortlichkeiten der vier Mächte in bezug auf Deutschland als Ganzes und Berlin dargelegt.

Da eine friedensvertragliche Regelung noch aussteht, sind beide Seiten davon ausgegangen, daß der beabsichtigte Vertrag die Rechte und Verantwortlichkeiten der Französischen Republik, des Vereinigten Königreichs von Großbritannien und Nordirland, der UdSSR und der USA nicht berührt. Der Bundesminister des Auswärtigen hat in diesem Zusammenhang erklärt:

,Die Frage der Rechte der vier Mächte steht in keinem Zusammenhang mit dem Vertrag, den die Bundesrepublik Deutschland und die UdSSR abzuschließen beabsichtigen, und wird von diesem auch nicht berührt.'

Der Außenminister der UdSSR hat in diesem Zusammenhang erklärt: ,Die Frage der Rechte der vier Mächte war nicht Gegenstand der Verhandlungen mit der Bundesrepublik Deutschland. Die Sowjetregierung ging davon aus, daß diese Frage nicht erörtert werden sollte. Die Frage der Rechte der vier Mächte wird auch von dem Vertrag, den die UdSSR und die Bundesrepublik Deutschland abzuschließen beabsichtigen, nicht berührt.

Dies ist die Stellungnahme der Sowjetregierung in dieser Frage.'"

„Frankfurter Rundschau", 12. August 1970

Vertrag zwischen den Regierungen der Bundesrepublik Deutschland und der UdSSR vom 12. August 1970 in Moskau:

78 „Die hohen vertragschließenden Parteien, in dem Bestreben, zur Festigung des Friedens und der Sicherheit in Europa und in der Welt beizutragen,

in der Überzeugung, daß die friedliche Zusammenarbeit zwischen den Staaten auf der Grundlage der Ziele und Grundsätze der Charta der Vereinten Nationen den sehnlichen Wünschen der Völker und den allgemeinen Interessen des internationalen Friedens entspricht,

in Würdigung der Tatsache, daß die früher von ihnen verwirklichten vereinbarten Maßnahmen, insbesondere der Abschluß des Abkommens vom 13. September 1955 über die Aufnahme der diplomatischen Beziehungen, günstige Bedingungen für neue wichtige Schritte zur Weiterentwicklung und Festigung ihrer gegenseitigen Beziehungen geschaffen haben,

in dem Wunsche, in vertraglicher Form ihrer Entschlossenheit zur Verbesserung und Erweiterung der Zusammenarbeit zwischen ihnen Ausdruck zu verleihen, einschließlich der wissenschaftlichen, technischen und kulturellen Verbindungen im Interesse beider Staaten, sind wie folgt übereingekommen:

Art. 1. Die Bundesrepublik Deutschland und die UdSSR betrachten es als wichtiges Ziel ihrer Politik, den internationalen Frieden aufrechtzuerhalten und die Entspannung zu erreichen. Sie bekunden ihr Bestreben, die Normalisierung der Lage in Europa und die Entwicklung friedlicher Beziehungen zwischen allen europäischen Staaten zu fördern, und gehen dabei von der in diesem Raum bestehenden wirklichen Lage aus.

Art. 2. Die Bundesrepublik Deutschland und die UdSSR werden sich in ihren gegenseitigen Beziehungen sowie in Fragen der Gewährleistung der europäischen und der internationalen Sicherheit von den Zielen und Grundsätzen, die in der Charta der Vereinten Nationen niedergelegt sind, leiten lassen. Demgemäß werden sie ihre Streitfragen ausschließlich mit friedlichen Mitteln lösen und übernehmen die Verpflichtung, sich in Fragen, die die Sicherheit in Europa und die internationale Sicherheit berühren, sowie in ihren gegenseitigen Beziehungen gemäß Art. 2 der Charta der Vereinten Nationen der Drohung mit Gewalt oder der Anwendung von Gewalt zu enthalten.

Art. 3. In Übereinstimmung mit den vorstehenden Zielen und Prinzipien stimmen die Bundesrepublik Deutschland und die UdSSR in der Erkenntnis überein, daß der Frieden in Europa nur erhalten werden kann, wenn niemand die gegenwärtigen Grenzen antastet.

Sie verpflichten sich, die territoriale Integrität aller Staaten in Europa in ihren heutigen Grenzen uneingeschränkt zu achten; sie erklären, daß sie keine Gebietsansprüche gegen irgend jemand haben und solche auch nicht erheben werden;
sie betrachten heute und künftig die Grenzen aller Staaten in Europa als unverletzlich, wie sie am Tage der Unterzeichnung dieses Vertrages verlaufen, einschließlich der Oder-Neiße-Linie, die die Westgrenze der Volksrepublik Polen bildet, und der Grenze zwischen der Bundesrepublik Deutschland und der DDR.
Art. 4. Dieser Vertrag zwischen der Bundesrepublik Deutschland und der UdSSR berührt nicht die von ihnen früher abgeschlossenen zweiseitigen Verträge und Vereinbarungen.
Art. 5. Dieser Vertrag bedarf der Ratifikation und tritt am Tage des Austausches der Ratifikationsurkunden in Kraft, der in ... stattfinden soll ..."

Willy Brandt	[Alexej] Kossygin
Walter Scheel	A [ndrej] Gromyko"

„Frankfurter Rundschau", 13. August 1970, S. 2

Aus dem Brief des Bundesaußenministers an die Regierung der UdSSR zum Abkommen vom 12. August 1970:

79 „In Zusammenhang mit der heutigen Unterzeichnung des Vertrages zwischen der Bundesrepublik Deutschland und der UdSSR beehrt sich die Regierung der Bundesrepublik festzustellen, daß dieser Vertrag nicht im Widerspruch zu den politischen Zielen der Bundesrepublik Deutschland steht, auf einen Zustand des Friedens in Europa hinzuwirken, in dem das deutsche Volk in freier Selbstbestimmung seine Einheit wieder erlangt ..."

„Frankfurter Rundschau", 12. August 1970, S. 2

Aus der Fernsehansprache des Bundeskanzlers aus Moskau nach der Unterzeichnung des Vertrags am 12. August 1970:

80 „25 Jahre nach der Kapitulation des von Hitler zerstörten Deutschen Reiches und 15 Jahre, nachdem Konrad Adenauer hier in Moskau die Aufnahme diplomatischer Beziehungen vereinbart hatte, ist es an der Zeit, unser Verhältnis zum Osten neu zu begründen — und zwar auf dem uneingeschränkten gegenseitigen Verzicht auf Gewalt, ausgehend von der politischen Lage, wie sie in Europa besteht ...
Morgen sind es neun Jahre, daß die Mauer gebaut wurde. Heute haben wir, so hoffe ich zuversichtlich, einen Anfang gesetzt, damit der Zerklüftung entgegengewirkt wird, damit Menschen nicht mehr

im Stacheldraht sterben müssen, bis die Teilung unseres Volkes eines Tages hoffentlich überwunden werden kann.

Europa endet weder an der Elbe noch an der polnischen Ostgrenze. Rußland ist unlösbar in die europäische Geschichte verflochten, nicht nur als Gegner und Gefahr, sondern auch als Partner — historisch, politisch, kulturell und ökonomisch. Nur wenn wir in Westeuropa diese Partnerschaft ins Auge fassen und nur wenn die Völker Osteuropas dies auch sehen, können wir zu einem Ausgleich der Interessen kommen...

Mit diesem Vertrag geht nichts verloren, was nicht längst verspielt worden war... Dieser Vertrag beeinträchtigt in keiner Weise die feste Verankerung der Bundesrepublik und ihrer freien Gesellschaft im Bündnis des Westens. Die zuverlässige Partnerschaft mit Amerika bleibt ebenso gewahrt wie die Aussöhnung mit Frankreich. Es bleibt auch bei dem beharrlichen Willen, immer mehr Staaten Europas mit dem Ziel einer politischen Gemeinschaft immer enger aneinander zu binden."

„Frankfurter Rundschau", 13. August 1970, S. 2

„Daraus das Beste machen"

81 „Es läßt sich nicht leugnen: Der gestern unterzeichnete Vertrag zwischen Bonn und Moskau beschert uns nicht die Wiedervereinigung, die Mauer bleibt stehen und in die westdeutsche CDU/CSU dürfen unsere Brüder und Schwestern im anderen Deutschland auch jetzt nicht. ... Einigermaßen sachliche Einwände [der Opposition], berechtigte Sorgen um die schwächste Stelle West-Berlin etwa, mischen sich mit einer saftigen Portion wildester Demagogie (... Franz Josef Strauß: Der Vertrag öffnet die Büchse der Pandora).

Vollkommen ist auch diese Übereinkunft zwischen der UdSSR und der Bundesrepublik ganz bestimmt nicht, aber ein beträchtlicher Teil der oppositionellen Kritik untersucht nicht, was möglich ist, wo jeder deutschen Regierung die Luft ausgehen würde, sondern wieder einmal, was sein sollte. Bei dieser Methode können dann zum Schluß nur die alten, müden Sonntagsbeschwörungen und leer gewordenen Formeln übrigbleiben. In zwanzig Jahren haben sie den Zustand der deutschen Nation nicht verbessert, sondern nur verschleiert... Der östlichen Propaganda [liefern wir] damit auch gleich den deutschen Buhmann frei Haus... Wir können aber auch, wie es die Regierung tut, versuchen, die Dinge so zu sehen, wie sie sind, und daraus das Beste machen. Eine nur so mögliche Entspannung in Europa wird früher oder später auch den Deutschen in der DDR zugute kommen. Ein anderes Rezept hat niemand zur Hand."

Hans-Herbert Gaebel: Im Osten nichts Neues, „Frankfurter Rundschau", 13. August 1970,
S. 3

„Chancen und Gefahren"

82 „Selten wird zum Beispiel auf den Erfolg der deutschen Unterhändler hingewiesen, der darin besteht, daß der Vertrag kein Wort über eine Bonner Anerkennung der DDR enthält... Wir haben in dem Vertrag nichts aufgegeben — außer dem Anspruch, den bestehenden Zustand in Europa mit Gewalt zu verändern. Diese Absicht hatte bei uns kein Mensch — vielleicht von einigen Verrückten abgesehen... Über seine Schlußstrich-Funktion hinaus kann der Vertrag der Grundstein für eine neue Phase europäischer Politik werden, in der sich der Ostblock auch der EWG nähert. Grundvoraussetzungen aber sind unser unablässiger Einsatz für den Zusammenhalt des Westens in EWG und NATO und unsere äußerste Wachsamkeit gegenüber einer ˙hochimperialen, langfristigen, zähen, mit großem Geschick vorangetragenen Europapolitik des Kreml, die hart und nüchtern auf den eigenen Machtvorteil bedacht ist."

Klaus Mehnert: Chancen und Gefahren der Umarmung, „Christ und Welt",
21. August 1970, S. 4

Gesellschaftspolitische Funktion des Kurswechsels

82 a „Warum wehren sich die Kraftmeier in den Unionsparteien wohl so sehr gegen einen Abbau der Spannungen? 20 Jahre lang konnten sie mit dem Hinweis auf die Bedrohung aus dem Osten Reformen unserer Gesellschaft verzögern. Das wird jetzt anders."

Vorstand der SPD, Bonn (Hrgb.): Kurzinformation Nr. 33, Punkt 5
(August 1970)

Grundlegende Änderungen in der sowjetrussischen Deutschlandpolitik ermöglichten nach Meinung der Bundesregierung den Abschluß des Moskauer Vertrages. Anläßlich der Einleitung des Ratifizierungsverfahrens zu den Verträgen von Moskau und Warschau wies die Bundesregierung auf die nicht mehr erhobenen Forderungen hin (s. D. 94—96!):

83 „Dieser bis Juli 1968 auf diplomatischer Ebene geführte deutschsowjetische Meinungsaustausch machte... deutlich, daß die Sowjetunion den Gewaltverzicht in einer Fixierung des politischen Status quo einschließlich einer völkerrechtlichen Anerkennung der DDR konkretisiert sehen wollte. Die Bundesrepublik sollte darüber hinaus den Status Westberlins als einer ‚besonderen politischen Einheit' achten. Sie sollte die Nichtigkeit ex tunc [7a] des Münchener

7 a ex tunc: seit Abfassung des Vertrags, d. h. er sei nie in Kraft getreten. Bedeutung z. B. für alle Sudetendeutschen, die 1939—45 in der Wehrmacht gedient haben? Im Vertrag Bundesrepublik Deutschland — ČSSR vom 11. 12. 1973 wurde die Nichtigkeit ex nunc bekräftigt, d. h. seit Abschluß dieses Prager Vertrags

Abkommens anerkennen. Schließlich stellte die Sowjetunion Forde-
rungen, die unter dem Stichwort ‚Durchführung des Potsdamer
Abkommens‘ die innere Ordnung der Bundesrepublik betrafen.
Darüber hinaus berief sich Moskau ausdrücklich auf ein Recht auf
Zwangsmaßnahmen gegen die Bundesrepublik, das es in der UNO-
Charta verbrieft zu sehen glaubte..."

Presse- und Informationsamt der Bundesregierung (Hgb.): Bulletin Nr. 186, S. 2014 f.,
vom 15. Dezember 1971

Aus dem Warschauer „Vertrag zwischen der Bundesrepublik Deutschland und der Volksrepublik Polen über die Grundlagen der Normalisierung ihrer gegenseitigen Beziehungen" vom 7. Dezember 1970:

84 „Die Bundesrepublik Deutschland und die Volksrepublik
Polen

in der Erwägung, daß mehr als 25 Jahre seit Ende des Zweiten
Weltkrieges vergangen sind, dessen erstes Opfer Polen wurde und
der über die Völker Europas schwerstes Leid gebracht hat,
eingedenk dessen, daß in beiden Ländern inzwischen eine neue Ge-
neration herangewachsen ist, der eine friedliche Zukunft gesichert
werden soll,
in dem Wunsche, dauerhafte Grundlagen für ein friedliches Zusammenleben und die Entwicklung normaler und guter Beziehungen
zwischen ihnen zu schaffen,
in dem Bestreben, den Frieden und die Sicherheit in Europa zu
festigen,
in dem Bewußtsein, daß die Unverletzlichkeit der Grenzen und die
Achtung der territorialen Integrität und der Souveränität aller
Staaten in Europa in ihren gegenwärtigen Grenzen eine grundlegende Bedingung für den Frieden sind,
sind wie folgt übereingekommen:
Art. I (1) die Bundesrepublik Deutschland und die VRP stellen
übereinstimmend fest, daß die bestehende Grenzlinie, deren Verlauf im Kapitel IX der Beschlüsse der Potsdamer Konferenz vom
2. August 1945... festgelegt worden ist, die westliche Staatsgrenze der VRP bildet. (2) Sie bekräftigen die Unverletzlichkeit
ihrer bestehenden Grenzen jetzt und in der Zukunft und verpflichten sich gegenseitig zur uneingeschränkten Achtung ihrer
territorialen Integrität. (3) Sie erklären, daß sie gegeneinander
keinerlei Gebietsansprüche haben und solche auch in Zukunft
nicht erheben werden..."

Presse- und Informationsamt der Bundesregierung (Hgb.): Die Verträge der Bundes-
republik Deutschland mit der UdSSR vom 12. August 1970 und mit der VRP vom
7. Dezember 1970, Bonn 1971, S. 155 f.

Das Rahmen-Abkommen der vier Siegermächte über Berlin 1971

Besonders für Berlin hatten beide Blocksysteme im Kalten Krieg Maximalforderungen angemeldet. Während laut BGG „Groß-Berlin" zu seinem Geltungsbereich und damit zur Bundesrepublik gehören sollte, vertraten DDR und UdSSR die These, daß Westberlin als „selbständige politische Einheit" zumindest „im Inneren des Territoriums der DDR liegt" und weder ein „Teil" noch gar ein „Land" der Bundesrepublik sei. Zwischen beiden Positionen gab es keine Vermittlung. Folglich war ein Übereinkommen nur denkbar, wenn Ansprüche und Statusfragen ausgeklammert blieben. Diesen Kurs steuerte die Bundesregierung Brandt—Scheel seit 1969. Zugleich proklamierte sie vor Unterzeichnung des Moskauer Vertrags mit der UdSSR vom 12. August 1970 ein politisches „Junktim" zwischen der Ratifizierung des Vertrags und einer „befriedigenden" Berlin-Regelung. Die drei Westmächte machten sich diese Koppelung zu eigen. Deshalb verhinderten sie in ihren Berlin-Verhandlungen mit der UdSSR eine völlige Abtrennung Westberlins von der Bundesrepublik. Im Grunde genommen wurde jetzt eine Politik verwirklicht, die ein Jahrzehnt zuvor wegen des Widerstands der damaligen Bundesregierung nicht hatte weitergeführt werden können (D 86). Offensichtlich ist eine derartige Kompromiß-Politik aller vier Siegermächte nicht nur in der Bundesrepublik auf Widerstand gestoßen — zumindest läßt der am 3. Mai 1971 überraschend mitgeteilte freiwillige Rücktritt Walter Ulbrichts als Erster Sekretär der ZK der SED — neben anderen Ereignissen — auf Meinungsverschiedenheiten in der Deutschlandfrage auch innerhalb des ZK der SED sowie auf konzeptionelle Einflußnahmen von Spitzenfunktionären der KPdSU schließen. Der abgrenzende neue Kurs in Richtung auf „die Herausbildung der sozialistischen Nation in der DDR" wurde bereits auf dem VIII. Parteitag der SED (15.—20. 6. 1971) verdeutlicht (90; 103 f.).

Auf die Auseinandersetzungen in der Bundesrepublik Deutschland verweisen publizistische Äußerungen (85, 89).

Die „Ausklammerung der Rechtsfragen" verurteilte der Publizist Dieter Cycon:

85 „Kann man sich zur Not gerade noch vorstellen, daß eine Berlin-Regelung auch dann ‚befriedigend' sein würde, wenn die zwischen den Großmächten umstrittenen Statusfragen in der Schwebe bleiben, so kann man doch kaum glauben, daß sie auch noch befriedigend sein könnte, wenn überdies die innerdeutschen Rechtsfragen unbeantwortet blieben. Denn gerade sie sind doch die Quelle aller Spannungen um Berlin in der Vergangenheit gewesen. Sie müßten es — blieben sie offen — notwendigerweise auch in der Zukunft sein. Klammert man auch diese Kategorie von Rechtsfragen aus, dann könnte jede nebenher laufende ‚praktische Regelung' per Definition nicht mehr sein als eine Augenblickslösung, ein Stillhalteabkommen. Sie würde einem bestimmten sowjetischen Interesse in einer bestimmten weltpolitischen Konstellation entsprechen — im Augenblick vermutlich dem Wunsch nach einer schnellen Ratifizierung des Vertrages, mit Bonn [vom 12. August 1970] und einer frühzeitigen Einberufung der sogenannten ‚Sicherheitskonferenz‘. Aber sie könnte schwerlich auf die Dauer Konflikte um Berlin ausschließen. Denn das Offenbleiben der rechtlichen Fragen würde nur Ausdruck des Fortbestehens gegensätzlicher politischer Willen sein, d. h. Ausdruck einer im Prinzip unveränderten kommunistischen Offensivpolitik. De facto würde damit angekündigt, daß die kommunistische Welt sich vorbehielte, bei entsprechender Entwicklung der internationalen Lage die ungelösten Fragen neu aufzurollen und in ihrem Sinne zu lösen...

Der Kreml [erleichtert] den Amerikanern den Weg zum Kompromiß. Auch er ist zu Abstrichen an Ausgangspositionen bereit; nicht jede Vereinbarung wird die SED beglücken. Beide Seiten suchen eine mittlere Linie... Wenn man bedenkt, wie minimal die Konzessionsmarge der Westmächte war und wie überzogen die sowjetischen Ausgangsforderungen, dann weisen die erkennbaren Tendenzen der Verhandlungen nicht in die Richtung einer Bestätigung der westlichen Position...

Nur ein entschlossener Wille der in Bonn amtierenden Regierung könnte solchen Tendenzen entgegenwirken. Daß dieser Wille fehlt, ist kein Geheimnis... Brandts Drängen nach schnellen Resultaten zu bremsen, ist die Aufgabe jener politischen Kräfte in der Bundesrepublik, die seiner Ostpolitik keinen Blankoscheck ausgestellt haben. Sie müssen die beiden deutschen Hauptanliegen, die Stichworte ‚keine Souveränität der ›DDR‹ über die Zufahrtswege‘ und ‚keine Minderung der politischen Verbindung zwischen der Bundesrepublik und West-Berlin‘, ins Volk tragen. Noch ist nicht jede Möglichkeit der indirekten Einwirkung auf die Berliner Verhandlungsrunde verloren. Am Ende wird die Bundesrepublik mit jeder Regelung leben müssen, die von den vier Mächten beschlossen wird. Aber wenn sie den beiden Hauptinteressen der Bundesrepublik nicht oder höchst ungenügend entspräche, dann könnte sie auch nicht ‚befriedigend‘ sein in jenem Sinne, als es im Zusammenhang mit der Ratifizierung der Ostverträge gebraucht wurde... Dann hätte die Sowjetunion nicht den Preis gezahlt, den Brandt als Entgelt für seine Unterschriften in Moskau und Warschau versprochen hat. Wie sollte er dann das Ja der Opposition [CDU/CSU] für Verträge erwarten können, mit denen der Kreml nicht nur eine anti-deutsche, sondern auch eine anti-westliche Entwicklung in Europa vorantreiben will, das Ja für die Anerkennung der Teilung und für die damit verbundenen Versprechen, die ‚Sicherheitskonferenz' und das Auftreten der ‚DDR' auf der internationalen Bühne zu unterstützen? Die Opposition der Bonner Ostpolitik hätte dann allen Grund, ihren Schild blankzuhalten."

Dieter Cycon: Eine befriedigende Regelung für West-Berlin?, in: „Die Welt",
12. Juni 1971, S. 7

Bundeskanzler Willy Brandt (SPD) anläßlich des 10. Jahrestages der Berliner „Mauer":

86 „Es wird heute zuweilen übersehen: Die Respektierung der Grenzen, ihre Unverletzlichkeit dort, wo sie sind, ob sie uns gefallen oder nicht, ist nichts Neues. Tatsächlich ist danach in all den zurückliegenden Jahren schon verfahren worden. Viele haben nur nicht den Mut gehabt, dies auch öffentlich zu sagen. Man hat die Dinge treiben lassen, ohne den Ansatz zu einer Verbesserung der Lage zu finden."

W. Brandt: Adenauer akzeptierte die Mauer, in: „Der Stern", 15. August 1971, S. 46

Aus dem „Quadripartite Agreement" der Regierungen der Französischen Republik, der UdSSR, Großbritanniens und der USA, unterzeichnet am 3. September 1971 in Berlin; nicht rechtsverbindliche Übersetzung der BRD:

87 „Die Regierungen…, handelnd auf der Grundlage ihrer Viermächterechte und -verantwortlichkeiten und der entsprechenden Vereinbarungen und Beschlüsse der vier Mächte aus der Kriegs- und Nachkriegszeit, die nicht berührt werden,
unter Berücksichtigung der bestehenden Lage in dem betreffenden Gebiet,
von dem Wunsch geleitet, zu praktischen Verbesserungen der Lage beizutragen,
unbeschadet ihrer Rechtspositionen,
haben folgendes vereinbart:
I. Allgemeine Bestimmungen
1. Die vier Regierungen werden bestrebt sein, die Beseitigung von Spannungen und die Verhütung von Komplikationen in dem betreffenden Gebiet zu fördern.
…
3. Die vier Regierungen werden ihre individuellen und gemeinsamen Rechte und Verantwortlichkeiten, die unverändert bleiben, gegenseitig achten.
4. Die vier Regierungen stimmen darin überein, daß ungeachtet der Unterschiede in den Rechtsauffassungen die Lage, die sich in diesem

Gebiet entwickelt hat und wie sie in diesem Abkommen sowie in den anderen in diesem Abkommen genannten Vereinbarungen definiert ist, nicht einseitig verändert wird.

II. Bestimmungen, die die Westsektoren Berlins betreffen

A. Die Regierung der UdSSR erklärt, daß der Transitverkehr von zivilen Personen und Gütern zwischen den Westsektoren Berlins und der Bundesrepublik Deutschland auf Straßen, Schienen- und Wasserwegen durch das Territorium der Deutschen Demokratischen Republik ohne Behinderung sein wird, daß dieser Verkehr erleichtert werden wird, damit er in der einfachsten und schnellsten Weise vor sich geht und daß er Begünstigungen erfahren wird.

Die diesen zivilen Verkehr betreffenden konkreten Regelungen... werden von den zuständigen deutschen Behörden vereinbart.

B. Die Regierungen der [drei Westmächte] erklären, daß die Bindungen zwischen den Westsektoren Berlins und der Bundesrepublik Deutschland aufrechterhalten und entwickelt werden, wobei sie berücksichtigen, daß diese Sektoren so wie bisher kein Bestandteil (konstitutiver Teil) der Bundesrepublik Deutschland sind und auch weiterhin nicht von ihr regiert werden...

C. Die Regierung der UdSSR erklärt, daß die Kommunikationen zwischen den Westsektoren Berlins und jenen Gebieten, die an diese Sektoren grenzen, sowie denjenigen Gebieten der DDR, die nicht an diese Sektoren grenzen, verbessert werden. Personen mit ständigem Wohnsitz in den Westsektoren Berlins werden aus humanitären, familiären, religiösen, kulturellen oder kommerziellen Gründen oder als Touristen in diese Gebiete reisen und sie besuchen können, und zwar unter Bedingungen, die denen vergleichbar sind, die für andere in diese Gebiete einreisende Personen gelten.

Die Probleme der kleinen Enklaven einschließlich Steinstückens und anderer kleiner Gebiete können durch Gebietstausch gelöst werden. Konkrete Regelungen, die die Reisen, die Kommunikationen und den Gebietsaustausch betreffen, ... werden zwischen den zuständigen deutschen Behörden vereinbart.

D. Die Vertretung der Interessen der Westsektoren Berlins im Ausland und die konsularische Tätigkeit der UdSSR in den Westsektoren Berlins können, wie in Anlage IV niedergelegt, geregelt werden.

III. Schlußbestimmungen

Dieses Viermächte-Abkommen tritt an dem Tage in Kraft, der in einem Viermächte-Schlußprotokoll festgelegt wird, das abzuschließen ist, sobald die in Teil II dieses Viermächte-Abkommens und in seinen Anlagen vorgesehenen Maßnahmen vereinbart worden sind.

Geschehen in dem früher vom Alliierten Kontrollrat benutzten Gebäude im amerikanischen Sektor Berlins am 3. September 1971..."

In den umfangreichen Anlagen befindet sich u. a. folgender Brief der Botschafter der drei Westmächte an den Bundeskanzler der Bundesrepublik Deutschland:

„Unter Bezugnahme auf das... Abkommen möchten unsere Regierungen mit diesem Brief die Regierung der Bundesrepublik Deutschland von folgenden Klarstellungen und Interpretationen der Erklärungen unterrichten..., die während der Viermächte-Verhandlungen Gegenstand von Konsultationen mit der Regierung der Bundesrepublik Deutschland waren...

a. Der Satz in Anlage II Absatz 2 des Viermächte-Abkommens, der lautet ‚...werden in den Westsektoren Berlins keine Verfassungs- oder Amtsakte vornehmen, die den Bestimmungen von Absatz 1 widersprechen' ist so auszulegen, daß darunter Akte in Ausübung unmittelbarer Staatsgewalt über die Westsektoren Berlins verstanden werden.

b. In den Westsektoren Berlins werden keine Sitzungen der Bundesversammlung und weiterhin keine Plenarsitzungen des Bundesrats und des Bundestags stattfinden. Einzelne Ausschüsse des Bundesrats und Bundestags können in den Westsektoren Berlins im Zusammenhang mit der Aufrechterhaltung und Entwicklung der Bindungen zwischen diesen Sektoren und der Bundesrepublik Deutschland tagen. Im Falle der Fraktionen werden Sitzungen nicht gleichzeitig abgehalten werden.

c. Die Verbindungsbehörde der Bundesregierung in den Westsektoren Berlins umfaßt Abteilungen, denen in ihren jeweiligen Bereichen Verbindungsfunktionen obliegen.

d. Geltende Verfahren bezüglich der Anwendbarkeit der Gesetzgebung der Bundesrepublik Deutschland auf die Westsektoren Berlins bleiben unverändert. e. Der Ausdruck ‚staatliche Organe'... bedeutet: der Bundespräsident, der Bundeskanzler, das Bundeskabinett, die Bundesminister und die Bundesministerien sowie die Zweigstellen dieser Ministerien, der Bundesrat und der Bundestag sowie alle Bundesgerichte...".

In Anlage II ist in diesem Zusammenhang folgende Mitteilung der Regierungen der drei Westmächte an die Regierung der UdSSR zu beachten:

„Die Bestimmungen des Grundgesetzes der Bundesrepublik Deutschland und der in den Westsektoren Berlins in Kraft befindlichen Verfassung, die zu dem Vorstehenden in Widerspruch stehen, sind suspendiert worden und auch weiterhin nicht in Kraft."

Presse- und Informationsamt der Bundesregierung (Hgb.): Das Viermächte-Abkommen über Berlin vom 3. September 1971, Bonn 1971, S. 15—18, 22, 31 f.; verbindlicher englischer Wortlaut S. 179—198

Zu den Schwierigkeiten der deutschen Übersetzung vor und nach Unterzeichnung der Berlin-Texte am 3. September 1971[8]:

88 „Es kann für die Zukunft von erheblicher Bedeutung sein, ob im deutschen Text... von ‚Transit' oder ‚Durchgangsverkehr', von ‚Bindungen' West-Berlins an die Bundesrepublik oder von ‚Verbindungen', von ‚vergleichbaren' oder ‚ähnlichen' Besuchsmöglichkeiten in Ost-Berlin die Rede ist... Eine erste Prüfung des... deutschen Textes ergibt, daß sich die westlichen Experten in der wichtigen Frage der Zugangsbezeichnung nicht durchsetzen konnten. Da im russischen Text von ‚Transit' und im englischen Wortlaut von ‚Transit traffic' die Rede ist, bestand die östliche Seite auf der deutschen Version ‚Transitverkehr', die völkerrechtlich schwerer wiegt als der von den Alliierten und Bonn bevorzugte Begriff ‚Durchgangsverkehr'. Hier gab der Westen nach.

Bei verschiedenen anderen bedeutsamen Sprachdifferenzen ist hingegen die westliche Interpretation zum Zuge gekommen. So erreichten die Westalliierten und Bonner Unterhändler, daß das englische Wort ‚ties' mit ‚Bindungen' zwischen den Westsektoren und der Bundesrepublik, nicht jedoch mit ‚Verbindungen' oder ‚Beziehungen' übersetzt wurde. Für Besuche von West-Berlinern im Ostteil der Stadt sollen nach dem deutschen Text tatsächlich Bedingungen gelten, die denen anderer Reisender ‚vergleichbar' sind..."

Bernt Conrad, Notwendiger Vokabelstreit um politische Substanz, in: „Die Welt",
4. September 1971, S. 4

Kritik an der Konzeption Brandts und ihrer Verwirklichung. Anläßlich der überraschend vereinbarten Reise des Bundeskanzlers und SPD-Parteivorsitzenden Willy Brandt zum KPdSU-Vorsitzenden Leonid Breschnjew auf die Krim schrieb der Publizist Dieter Cycon:

89 „Mit der Berlin-Vereinbarung ist der Stöpsel von der Flasche entfernt worden, in der bisher der Geist der Brandtschen Ostpolitik gefangensaß. Einmal von diesem Stöpsel befreit, haben Brandt und Breschnjew Manövrierraum... Es zeigt sich jetzt, wie schlecht die Alliierten beraten waren, als sie einer Berlin-Regelung

---

[8] „Der vom Presse- und Informationsamt der Bundesregierung...veröffentlichte deutsche Wortlaut ... ist eine zwischen Vertretern der Regierungen der BRD und der DDR vereinbarte Übersetzung ... Sie hat jedoch ... keinen rechtsverbindlichen Charakter ... Die Vertreter der BRD und der DDR [einigten sich] über den gesamten Text mit Ausnahme eines ‚agreed dissent' (einer vereinbarten Abweichung) in wenigen Punkten; — dazu gehört die Bezeichnung ‚quadripartite agreement', die von der Bundesrepublik mit ‚Viermächteabkommens', von der DDR aber mit ‚Vierseitiges Abkommen' übersetzt wird ..."

ihre Zustimmung gaben, die direkt und indirekt das sowjetische Deutschland-Konzept förderte. Es zeigt sich aber auch die Torheit nichtsozialistischer Gruppen in der Bundesrepublik, die aus blindem Respekt vor dem Ja der Westmächte der Kunst des Lesens und der Fähigkeit der Analyse abzuschwören schienen... Es ist nicht mehr zu übersehen, daß diese Regierung in fundamentalen nationalen Fragen aktiver sein will als jede voraufgegangene – nur mit ganz anderen Vorstellungen vom Endziel.

Die schmale, aber entscheidende Spitzengruppe dieser Regierung glaubt offenkundig, daß ihre eigenen politischen Antriebe — ein Gemisch aus sozialistischen, quasi-pazifistischen und nationalen Ideen — den Schlüssel zur Lösung der deutschen Frage liefern... Die Anerkennung aller Teilungen ist für sie nur die Voraussetzung für die Entfaltung eines breiten außenpolitischen Konzeptes, das die Bundesrepublik aus dem Lager des Westens in eine neutrale Zwischenzone steuern soll — in eine Zone mit vielleicht prosowjetisch gefärbter Neutralität... Wie kann die bürgerliche Opposition in der Bundesrepublik glauben, es gebe Gemeinsamkeiten zwischen diesem nationalen quasi-pazifistischen Sozialismus der Bonner Spitzengruppe und ihren eigenen Interessen?... Akzeptiert man erst einmal die These, daß der deutschen Sache durch Anpassung an das sowjetische Deutschland-Konzept gedient werden kann – wie zum Beispiel im Falle Berlins —, dann gestattet man auch die Monopolisierung der nationalen Frage durch die Sozialisten... Das sozialistische Lager in der Bundesrepublik gewinnt... erst außenpolitische Dynamik, wenn es einmal die Teilungen anerkannt hat, und es kann dem Wähler weismachen, daß es damit der nationalen Frage dient.

Aber ein nichtsozialistisches Lager, das die Teilungen ebenfalls anerkennt, kann nur bis dahin gehen und nicht weiter. Es bliebe der Vertreter des Status quo. Auf dem Wege zur Akkommodation mit der kommunistischen Welt kann es mit Brandt nicht Schritt halten, weil seine Lebensinteressen sowohl das enge Bündnis mit dem Westen wie eine soziale Verfassung verlangen, die der heutigen zumindest ähnlich ist.

Je offenkundiger Brandt die Politik der Annäherung an den Ostblock betreibt, desto deutlicher müssen vom nichtsozialistischen Lager die lebensgefährlichen Fehlkalkulationen und die Illusionen dieser Politik aufgezeigt werden... Die Opposition... kann in den nationalen Fragen nur weiter auf den Positionen der Moral, der Vernunft und des Rechts beharren, in der Hoffnung auf eine günstigere weltpolitische Entwicklung in der Zukunft. Die Voraussetzung für den Erfolg einer solchen Politik ist freilich, daß man Schwarz schwarz nennt, Grau grau und Weiß weiß. Denn nur, wenn der eigene Kopf nicht verqualmt ist, kann man hoffen, andere zu beeinflussen und zu überzeugen."

Dieter Cycon: Brandts Ostpolitik ohne Fesseln, in: „Die Welt", 16. September 1971, S. 4

Die Stellungnahme der SED zu den Ausdrucksformen der westdeutschen Kooperationspolitik:

90 „Zeitungen der BRD und auch manche Politiker bedienen sich in einer wichtigen Angelegenheit hartnäckig einer Ausdrucksweise, die den Realitäten widerspricht. Sie behaupten, es gäbe ‚innerdeutsche Verhandlungen zwischen Ostberlin und Bonn'. Solche Verhandlungen gibt es nicht, wird es nicht geben und kann es auch gar nicht geben. Wenn zum Beispiel der Staatssekretär beim Ministerrat der DDR, Dr. Michael Kohl, und der Staatssekretär im Bundeskanzleramt der BRD, Egon Bahr, miteinander verhandeln, so sitzen sich Vertreter souveräner, voneinander unabhängiger Staaten gegenüber.

Nicht nur das! Dr. Kohl vertritt einen sozialistischen Staat. Bahr dagegen einen imperialistischen Staat... Diese unterschiedlichen Gesellschaften und Staaten entwickeln sich nach unterschiedlichen inneren Gesetzmäßigkeiten und grenzen sich deshalb objektiv und unaufhaltsam gegeneinander ab.

Das bestmögliche Verhältnis, in das sie zueinander treten können, ist ein Verhältnis friedlicher Koexistenz, wie es grundsätzlich zwischen allen Staaten gegensätzlicher Gesellschaftsordnung möglich ist...

Was soll angesichts dieser Tatsachen das Wort ‚innerdeutsch' eigentlich bezeichnen? Was soll denn das für eine Einheit sein, in der die BRD ebenso wie die DDR gemeinsam drin wären? Etwa das Deutsche Reich? Das ist 1945 untergegangen. Schleppen manche Leute in Bonn ein Vierteljahrhundert danach etwa immer noch die Fiktion mit sich herum, die BRD verkörpere das Deutsche Reich und die DDR sei da eigentlich mit ‚drin'? Soll damit etwa, da man heute vom ‚Alleinvertretungsanspruch' nicht mehr redet, auf neue Weise eine Vormundschaft über die DDR errichtet werden? Wollen gewisse Unbelehrbare auf diese Art ‚Rechte' bewahren, die sie später einmal bei erhoffter günstiger Gelegenheit geltend zu machen gedenken?

Innerdeutsche Verhandlungen gibt es nicht, aber es gibt bei einigen Leuten offensichtlich innerdeutsche Hirngespinste, innerdeutsche Luftblasen. Wir brauchten sie nicht zur Kenntnis zu nehmen, wenn sie nicht vernünftige Beziehungen behindern würden.

Übrigens ist auch das Wort ‚Ostberlin' ein solcher falscher Ausdruck, der wohl weniger der Unschärfe des Denkens als provokatorischer Absicht entspringt. Tatsächlich gibt es Westberlin, das nicht zur Bundesrepublik gehört, und es gibt Berlin, die Hauptstadt der Deutschen Demokratischen Republik.

Die Tatsachen, insbesondere so unverrückbare wie die DDR einschließlich ihrer Hauptstadt, werden von immer mehr Regierungen anerkannt und mit den richtigen Ausdrücken benannt. Auch das vierseitige Abkommen, das neben der Sowjetunion auch von den USA, Großbritannien und Frankreich unterzeichnet wurde, geht von den Realitäten aus und berücksichtigt, daß die DDR und die BRD gleichermaßen Völkerrechtssubjekte sind. Es wäre an der Zeit, daß man sich auch in der BRD mit Wort und Tat auf den Boden der Realitäten stellt. Wer anders an die Dinge herangeht, erschwert Lösungen, die auf der Tagesordnung stehen. Nur von einer realistischen Position aus kann man vorankommen..."

Dr. K. (Dr. Günter Kertzscher): Realitäten und ‚innerdeutsche' Luftblasen. Kommentar des „Neuen Deutschland", Zentralorgan des ZK der SED, Berlin, 16. September 1971, S. 2

Die Regelung der Beziehungen der Bundesrepublik Deutschland und des Senats zur DDR

Noch bevor die Vier Mächte sich über Berlin geeinigt hatten, hatte die Bundesregierung am 30. Juni 1971 die allgemeinen Bezeichnungs- und Kartenrichtlinien (48, 54) aufgehoben; denn sie erblickte „grundsätzlich in der Festlegung von Bezeichnungen kein geeignetes Mittel der Politik und schon gar nicht einen Ersatz für Politik". Seitdem der Text des „Quadripartite Agreement" (87) vorlag, waren dessen Festlegungen bei den Verhandlungen mit der DDR nicht mehr zu umgehen:

1. Die Regierung der Bundesrepublik Deutschland sowie der Senat hatten getrennt mit der Regierung der DDR zu verhandeln;

2. Die Begriffe „Transit" und „Visum" drückten die Souveränität der DDR über ihr Territorium aus.

Was kennzeichnet die ersten „West"-Verträge mit der DDR („Transit-Vertrag" 91 und „Reise-Vereinbarung" 92)? Inwieweit hat die DDR die Vorgaben genutzt (Generalklausel, Mißbrauchsregelungen, Schlichtungsvereinbarung)? Welche Konsequenzen mußte die SED ziehen (90, 93)? Welche Formulierungen beweisen, daß die Vertragspartner nicht nur einen „Rahmen" ausfüllen wollten (Präambel!)? Beachten Sie auch, daß der Senat in Art. 5,2 der Errichtung jener „Büros" *in* West-Berlin grundsätzlich zugestimmt hat, die im August 1961 nach dem Bau der „Mauer" verboten worden waren (vgl. D 86)! Dokumentierte sich in solchen Zugeständnissen der Verzicht der „westlichen" Vertragspartner auf grundgesetzgemäße Politik (94)?

Nach der Ratifizierung der Ostverträge von Moskau (78) und Warschau (84) hat die Bundesregierung — entsprechend den „20 Punkten von

Kassel" (68) — das Verhältnis zwischen der Bundesrepublik Deutschland und der Deutschen Demokratischen Republik in einem Verkehrsvertrag (96) sowie in einem Grundlagen-Vertrag (97) geregelt. Richard Löwenthal (vgl. 60; D 91) urteilte 1974, dieser letztgenannte Vertrag stelle „im ganzen wohl das für beide Seiten am wenigsten befriedigende Ergebnis der neuen Politik des Ausgleichs" in Europa dar. Auch meinte er, es lasse „sich nicht von der Hand weisen, daß zu dem Zeitdruck, unter dem gerade diese letzte Verhandlung stand, auch innerpolitische Faktoren beigetragen haben: Der Grundvertrag wurde am 9. November 1972, zehn Tage vor der bitter umkämpften Bundestagswahl, paraphiert und einen Monat nach dem Sieg der sozial-liberalen Koalition am 21. Dezember von dem nun zum Bundesminister ernannten Bahr und Staatssekretär Kohl unterzeichnet" (R. Löwenthal: Vom kalten Krieg zur Ostpolitik. Sonderdruck S. 88 f. aus: R. Löwenthal — H.-P. Schwarz [Hgb.]: Die zweite Republik. Stuttgart 1974). Hatten Bundesregierung und Koalitionsparteien um des erhofften Vertragsabschlusses willen nicht zureichend erfaßt, was der Abgrenzungskurs der SED seit Juni 1971 (S. 127 ff.) grundsätzlich und im Blick auf Ziele und Mittel der Kooperationspolitik bedeutet (vgl. Q 83)?

Aus dem „Abkommen zwischen der Regierung der Bundesrepublik Deutschland und der Regierung der Deutschen Demokratischen Republik über den Transitverkehr von zivilen Personen und Gütern zwischen der Bundesrepublik Deutschland und Berlin (West)"; Staatsname DDR im folgenden abgekürzt:

91 „Die Regierung der Bundesrepublik Deutschland und die Regierung der DDR sind in dem Bestreben, einen Beitrag zur Entspannung in Europa zu leisten, und in Übereinstimmung mit den Regelungen des Abkommens zwischen den Regierungen der Französischen Republik, der UdSSR, des Vereinigten Königreichs von Großbritannien und Nordirland und der Vereinigten Staaten von Amerika vom 3. September 1971 übereingekommen, dieses Abkommen abzuschließen.

Art. 1. Gegenstand dieses Abkommens ist der Transitverkehr von zivilen Personen und Gütern auf Straßen, Schienen- und Wasserwegen zwischen der Bundesrepublik Deutschland und den Westsektoren Berlins — Berlin (West) — durch das Hoheitsgebiet der DDR — im folgenden Transitverkehr genannt ...

Art. 2. Abs. 2. Im Transitverkehr finden die allgemein üblichen Vorschriften der DDR bezüglich der öffentlichen Ordnung Anwendung, soweit dieses Abkommen nichts anderes bestimmt ...

Art. 4. Für Transitreisende werden Visa an den Grenzübergangsstellen der DDR erteilt ...

[Art. 6. Verplombung vor der Abfahrt.]

Art. 7. Abs. 2. In besonderen Fällen, in denen hinreichende Verdachtsgründe dafür vorliegen, daß Transportmittel... Materialien enthalten, die zur Verbreitung auf den vorgesehenen Wegen bestimmt sind, oder daß sich in ihnen Personen oder Materialien befinden, die auf diesen Wegen aufgenommen worden sind, kann der Inhalt der nicht verplombten Transportmittel geprüft werden. Die Prüfung erfolgt im erforderlichen Umfang durch die zuständigen Organe der DDR nach den allgemein üblichen Vorschriften der DDR bezüglich der öffentlichen Ordnung. Die entsprechenden Bestimmungen des Art. 16 finden Anwendung.

...

Art. 9. Abs. 1. Im Transitverkehr können individuelle Transportmittel benutzt werden.

Art. 10. Abs. 1. Im Transitverkehr können durchgehende Autobusse benutzt werden...

Art. 16. Abs. 1. Ein Mißbrauch im Sinne dieses Abkommens liegt vor, wenn ein Transitreisender nach Inkrafttreten dieses Abkommens während der jeweiligen Benutzung des Transitweges rechtswidrig und schuldhaft gegen die allgemein üblichen Vorschriften der DDR bezüglich der öffentlichen Ordnung verstößt, indem er

a) Materialien verbreitet oder aufnimmt; b) Personen aufnimmt;

c) die vorgeschriebenen Transitwege verläßt, ohne durch besondere Umstände, wie Unfall oder Krankheit, oder durch Erlaubnis der zuständigen Organe der DDR dazu veranlaßt zu sein;

d) andere Straftaten begeht oder

e) durch Verletzung von Straßenverkehrsvorschriften Ordnungswidrigkeiten begeht...

Abs. 2. Hinreichende Verdachtsgründe im Sinne dieses Abkommens liegen vor, wenn im gegebenen Falle auf Grund bestimmter Tatsachen oder konkreter Anhaltspunkte eine gewisse Wahrscheinlichkeit besteht, daß ein Mißbrauch der Transitwege für die obengenannten Zwecke beabsichtigt ist, begangen wird oder begangen worden ist...

Abs. 5... Sind Gegenstände beschlagnahmt, sichergestellt oder eingezogen worden, so ist dem Betroffenen ein Verzeichnis der Gegenstände zu übergeben.

Über Festnahmen, den Ausschluß von Personen von der Benutzung der Transitwege und Zurückweisungen sowie über die dafür maßgebenden Gründe werden die zuständigen Organe der DDR alsbald die zuständigen Behörden der Bundesrepublik Deutschland unterrichten...

Art. 19. Abs. 1. Die Abkommenspartner bilden eine Kommission zur Klärung von Schwierigkeiten und Meinungsverschiedenheiten bei der Anwendung oder Auslegung dieses Abkommens...

Art. 21. Dieses Abkommen tritt gleichzeitig mit dem Abkommen zwischen den Regierungen... [der Vier Mächte] vom 3. September 1971 in Kraft und bleibt zusammen mit ihm in Kraft."

Aus den umfangreichen „begleitenden Dokumenten" ist für Einzelreisende „Protokollvermerk" Nr. 9 wichtig:

„Das Mitführen von Büchern, Zeitungen und anderen Druckerzeugnissen, die nur für den persönlichen Gebrauch der Transitreisenden genutzt werden und nicht zur Verteilung auf den Transitwegen bestimmt sind, wird nicht als Mißbrauch ausgelegt."

Presse- und Informationsamt der Bundesregierung (Hgb.): Bulletin Nr. 183, S. 1954—1965, Bonn, 11. Dezember 1971 (Tag der Paraphierung)

Aus der „Vereinbarung zwischen dem Senat und der Regierung der Deutschen Demokratischen Republik über Erleichterungen und Verbesserungen des Reise- und Besuchsverkehrs"; DDR im folgenden abgekürzt:

92 „In Übereinstimmung mit den Regelungen des Abkommens zwischen den Regierungen... [der Vier Mächte] vom 3. September 1971 und in dem Bestreben, einen Beitrag zur Entspannung zu leisten, sind der Senat und die Regierung der DDR übereingekommen, den Reise- und Besucherverkehr von Personen mit ständigem Wohnsitz in den Westsektoren Berlins / Berlin (West) wie folgt zu erleichtern und zu verbessern:

Art. 1 (1) Personen mit ständigem Wohnsitz in Berlin (West) wird einmal oder mehrmals die Einreise zu Besuchen von insgesamt 30 Tagen Dauer im Jahre in die an Berlin (West) grenzenden Gebiete sowie diejenigen Gebiete der DDR, die nicht an Berlin (West) grenzen, gewährt. (2) Die Einreise nach Absatz 1 wird aus humanitären, familiären, religiösen, kulturellen und touristischen Gründen genehmigt.
...

Art. 5 (2) Personen mit ständigem Wohnsitz in Berlin (West), die nur für einen Tag ohne Übernachtung und ohne Inanspruchnahme eines Reisebüros als Touristen einzureisen wünschen, können Anträge auf Erteilung von Berechtigungsscheinen... direkt bei den Büros für Besuchs- und Reiseangelegenheiten in Berlin (West) stellen. Diese Büros stellen Berechtigungsscheine aus...

Art. 6. Unter Berücksichtigung der Erfahrungen bei der Durchsetzung dieser Vereinbarung und im Zusammenhang mit einer weiteren Verbesserung der Lage können auf der Grundlage dieser Vereinbarung zwischen beiden Seiten weitere Erleichterungen vereinbart werden..."

Zu den umfangreichen „begleitenden Dokumenten" gehören Protokollvermerke sowie eine „Vereinbarung... über die Regelung der Frage von Enklaven durch Gebietsaustausch".

Presse- und Informationsamt der Bundesregierung (Hgb.): Bulletin Nr. 183, Bonn, 11. Dezember 1971 (Tag der Paraphierung), S. 1967—1976

Berlin-Definition des Ersten Sekretärs des Zentralkomitees der SED. Nachdem die ersten Verträge der DDR mit der Bundesrepublik Deutschland und dem Senat unterzeichnet worden waren, erklärte Erich Honecker,

93 „daß West-Berlin als Einheit in seinen gegebenen Grenzen besteht und von der DDR einschließlich ihrer Hauptstadt umgeben ist."

„Frankfurter Rundschau", 20. Dezember 1971

„Ostpolitik höhlt das Grundgesetz aus", warnt der Präsident des „Bundes der Vertriebenen":

94 „Formalrechtlich gilt das Grundgesetz noch. Die darin verankerte Verantwortung der Bundesrepublik Deutschland für ganz Deutschland wird jedoch schrittweise politisch ausgehöhlt. Wenn man sich politisch an das neue Selbstverständnis der Bundesrepublik gewöhnt haben wird, soll wohl eine Verfassung einer westdeutschen Bundesrepublik propagiert werden..."

Herbert Czaja (MdB CDU): Die Verträge erfordern in Bundestag und Bundesrat eine verfassungsändernde Mehrheit, in: „Die Welt", 28. Dezember 1971, S. 8

„Schwerwiegende politische und rechtliche Bedenken" gegen die Verträge von Moskau und Warschau äußerte die Stimmenmehrheit der CDU/CSU-geführten Länderregierungen im Bundesrat beim Beginn des Ratifizierungsprozesses am 9. Februar 1972:

95 „1. Es besteht die ernste Gefahr, daß die Unklarheiten und Mehrdeutigkeiten der Verträge in allen entscheidenden Punkten... die Verträge zu einem Instrument sowjetischer Einmischung in die deutsche Innenpolitik werden lassen. 2. Es ist nicht auszuschließen, daß durch den Moskauer Vertrag eine Wiedervereinigung in Freiheit auf dem Wege der Selbstbestimmung des deutschen Volkes dadurch gefährdet wird, daß in diesem Vertrag die Staatlichkeit der DDR bestätigt und die Demarkationslinie als Grenze anerkannt wird. Die... Äußerung des sowjetischen Außenministers in den Vertragsverhandlungen [75] legt den Schluß nahe, daß nach den Vorstellungen der Sowjetunion die deutsche Einheit nur unter kommunistischen Vorzeichen zu verwirklichen ist. 3. Es ist nicht sichergestellt, daß die Bundesregierung nach Abschluß des Vertrages mit der Sowjetunion eine völkerrechtliche Anerkennung der DDR und die Anerkennung einer besonderen Staatsangehörigkeit für die in der

DDR lebenden Deutschen vermeiden kann. 4. Es ist zu befürchten, daß die beiden Verträge eine endgültige — auch einem wiedervereinigten Gesamtdeutschland gegenüber wirksame — Anerkennung der Oder-Neiße-Linie als polnische Westgrenze enthalten, insbesondere auch deshalb, weil in beiden Verträgen ein ausdrücklicher und klarer Friedensvertragsvorbehalt fehlt. 5. Es ist nicht ausgeschlossen, daß auf Grund der Verträge den in den Oder-Neiße-Gebieten lebenden Deutschen die deutsche Staatsangehörigkeit entzogen wird und die Bundesrepublik Deutschland ihre Fürsorgepflicht gegenüber diesen Deutschen verletzt. 6. Es ist zu befürchten, daß die beiden Verträge wesentliche Elemente eines Friedensvertrages vorwegnehmen und damit die vier Mächte de facto aus ihrer Verantwortung für Deutschland als Ganzes weitgehend entlassen. Vor allem ist nicht auszuschließen, daß eine grundlegende Position bisheriger deutscher Politik, nämlich die Verpflichtung der drei Westmächten auf das Ziel eines wiedervereinigten Deutschland auf freiheitlich-demokratischer Grundlage, ausgehöhlt wird. Nicht zuletzt wegen der Diskrepanz im Wortlaut der Erklärungen des deutschen und sowjetischen Außenministers vom 6. August 1970 einerseits und der Note an die drei Westmächte vom 7. August 1970 andererseits [77] ist zu befürchten, daß zwar die Rechte, nicht aber auch die korrespondierenden Verpflichtungen der Siegermächte bestehen bleiben. 7. Es ist nicht überzeugend dargetan, daß die zwischen der Bundesregierung, dem Senat von Berlin und der Regierung der DDR abgeschlossenen ergänzenden Vereinbarungen zum Viermächteabkommen diejenige befriedigende Berlin-Regelung enthalten, die die Bundesregierung als Voraussetzung für die Ratifizierung der Verträge bezeichnet hat. Nicht einmal der durch das Viermächteabkommen [87] gezogene Rahmen wurde ausgefüllt. 8. Es ist unklar, ob die Sowjetunion völkerrechtlich verbindlich darauf verzichtet hat, aus den Artikeln 53 und 107 der Charta der Vereinten Nationen weiterhin ein Interventionsrecht der Bundesrepublik Deutschland gegenüber abzuleiten, und ob sie Kontroll- und Mitbestimmungsrechte nach dem Potsdamer Abkommen in innerdeutschen Angelegenheiten für sich in Anspruch nimmt. 9. Es ist nicht ausgeschlossen, daß die Sowjetunion auch unter Berufung auf Wortlaut und Geist des Moskauer Vertrages versuchen wird, die Fortentwicklung der Europäischen Gemeinschaften zu einer politischen Union zu verhindern. 10. Es ist nicht ersichtlich, welche Legitimation die Bundesrepublik Deutschland besitzt, in einem Vertrag mit der Sowjetunion außer den Deutschland selbst berührenden Grenzen auch alle übrigen Grenzen in Ost- und Südosteuropa zu legalisieren und dadurch die hegemoniale

Stellung der Sowjetunion in diesem Raum zu festigen. 11. Es ist ferner nicht ersichtlich, welche Fortschritte die Verträge bringen in Richtung auf mehr Freizügigkeit für Menschen, Informationen und Ideen als Grundlage einer künftigen europäischen Friedensordnung, die ohne Beseitigung von Mauer, Minen und Stacheldraht und ohne Aufhebung des unmenschlichen Schießbefehls undenkbar ist. 12. Es ist zu befürchten, daß die Verträge isolationistischen Tendenzen in den USA Vorschub leisten und zu einer Verringerung der Präsenz der US-Streitkräfte in Europa und damit zu einer Schwächung der NATO führen.
Sollten diese Fragen im weiteren Verlauf des Gesetzgebungsverfahrens nicht eindeutig geklärt werden, so wird der Bundesrat die Vertragsgesetze aus politischen und verfassungsrechtlichen Gründen ablehnen."

Entschließungstext lt. „Die Welt", 9. Februar 1972

Die „beide-Staaten"-Formel in der Präambel des „Vertrags zwischen der Bundesrepublik Deutschland und der Deutschen Demokratischen Republik über Fragen des Verkehrs", paraphiert am 12. Mai 1972 in Bonn (Staatsname DDR im folgenden abgekürzt):

96 „Die Bundesrepublik Deutschland und die DDR sind,
in dem Bestreben, einen Beitrag zur Entspannung in Europa zu leisten und normale gutnachbarliche Beziehungen beider Staaten zueinander zu entwickeln, wie sie zwischen voneinander unabhängigen Staaten üblich sind,
geleitet von dem Wunsch, Fragen des grenzüberschreitenden Personen- und Güterverkehrs beider Vertragsstaaten in und durch ihre Hoheitsgebiete zu regeln,
übereingekommen, diesen Vertrag abzuschließen: ..."

Presse- und Informationsamt der Bundesregierung (Hgb.): „Bulletin", Bonn, 13. Mai 1972

„Vertrag über die Grundlagen der Beziehungen zwischen der Bundesrepublik Deutschland und der Deutschen Demokratischen Republik", unterzeichnet in Berlin/DDR am 21. Dezember 1972 (Staatsname DDR folgend abgekürzt):

97 „Die Hohen Vertragschließenden Seiten
eingedenk ihrer Verantwortung für die Erhaltung des Friedens,
in dem Bestreben, einen Beitrag zur Entspannung und Sicherheit in Europa zu leisten,
in dem Bewußtsein, daß die Unverletzlichkeit der Grenzen und die Achtung der territorialen Integrität und der Souveränität aller Staaten in Europa in ihren gegenwärtigen Grenzen eine grundlegende Bedingung für den Frieden sind,
in der Erkenntnis, daß sich daher die beiden deutschen Staaten in

ihren Beziehungen der Androhung oder Anwendung von Gewalt zu enthalten haben,

ausgehend von den historischen Gegebenheiten und unbeschadet der unterschiedlichen Auffassungen der Bundesrepublik Deutschland und der DDR zu grundsätzlichen Fragen, darunter zur nationalen Frage,

geleitet von dem Wunsch, zum Wohle der Menschen in den beiden deutschen Staaten die Voraussetzungen für die Zusammenarbeit zwischen der Bundesrepublik Deutschland und der DDR zu schaffen, sind wie folgt übereingekommen:

Art. 1. Die Bundesrepublik Deutschland und die DDR entwickeln normale gutnachbarliche Beziehungen zueinander auf der Grundlage der Gleichberechtigung.

Art. 2. Die Bundesrepublik Deutschland und die DDR werden sich von den Zielen und Prinzipien leiten lassen, die in der Charta der Vereinten Nationen niedergelegt sind, insbesondere der souveränen Gleichheit aller Staaten, der Achtung der Unabhängigkeit, Selbständigkeit und territorialen Integrität, dem Selbstbestimmungsrecht, der Wahrung der Menschenrechte und der Nichtdiskriminierung.

Art. 3. Entsprechend der Charta der Vereinten Nationen werden die Bundesrepublik Deutschland und die DDR ihre Streitfragen ausschließlich mit friedlichen Mitteln lösen und sich der Drohung mit Gewalt oder der Anwendung von Gewalt enthalten. Sie bekräftigen die Unverletzlichkeit der zwischen ihnen bestehenden Grenze jetzt und in Zukunft und verpflichten sich zur uneingeschränkten Achtung ihrer territorialen Integrität.

Art. 4. Die Bundesrepublik Deutschland und die DDR gehen davon aus, daß keiner der beiden Staaten den anderen international vertreten oder in seinem Namen handeln kann.

Art. 5. Die Bundesrepublik Deutschland und die DDR werden friedliche Beziehungen zwischen den europäischen Staaten fördern und zur Sicherheit und Zusammenarbeit in Europa beitragen.

Sie unterstützen die Bemühungen um eine Verminderung der Streitkräfte und Rüstungen in Europa, ohne daß dadurch Nachteile für die Sicherheit der Beteiligten entstehen dürfen.

Die Bundesrepublik Deutschland und die DDR werden mit dem Ziel einer allgemeinen und vollständigen Abrüstung unter wirksamer internationaler Kontrolle der internationalen Sicherheit dienende Bemühungen um Rüstungsbegrenzung und Abrüstung, insbesondere auf dem Gebiet der Kernwaffen und anderen Massenvernichtungswaffen, unterstützen.

Art. 6. Die Bundesrepublik Deutschland und die DDR gehen von dem Grundsatz aus, daß die Hoheitsgewalt jedes der beiden Staaten sich auf sein Staatsgebiet beschränkt. Sie respektieren die Unabhängigkeit und Selbständigkeit jedes der beiden Staaten in seinen inneren und äußeren Angelegenheiten.

Art. 7. Die Bundesrepublik Deutschland und die DDR erklären ihre Bereitschaft, im Zuge der Normalisierung ihrer Beziehungen praktische und humanitäre Fragen zu regeln. Sie werden Abkommen schließen, um auf der Grundlage dieses Vertrages und zum beiderseitigen Vorteil die Zusammenarbeit auf dem Gebiet der Wirtschaft, der Wissenschaft und Technik, des Verkehrs, des Rechtsverkehrs, des Post- und Fernmeldewesens, des Gesundheitswesens, der Kultur, des Sports, des Umweltschutzes und auf anderen Gebieten zu entwickeln und zu fördern. Einzelheiten sind in dem Zusatzprotokoll geregelt.

Art. 8. Die Bundesrepublik Deutschland und die DDR werden ständige Vertretungen austauschen. Sie werden am Sitz der jeweiligen Regierung errichtet.

Die praktischen Fragen, die mit der Errichtung der Vertretungen zusammenhängen, werden zusätzlich geregelt.

Art. 9. Die Bundesrepublik Deutschland und die DDR stimmen darin überein, daß durch diesen Vertrag die von ihnen früher abgeschlossenen oder sie betreffenden zweiseitigen und mehrseitigen internationalen Verträge und Vereinbarungen nicht berührt werden.

Art. 10. Dieser Vertrag bedarf der Ratifikation . . ."

Zum Vertragswerk gehören eine Reihe von ebenso verbindlichen Vereinbarungen und Zusagen in Form von Protokoll-Vermerken, Erklärungen und Briefwechseln, die gleichzeitig mit dem Vertrag in Kraft gesetzt wurden. Zu ihnen zählen ein „Brief zur deutschen Einheit" (wie 79 zum Moskauer Vertrag), dessen Text unmittelbar vor der Vertragsunterzeichnung gegen Empfangsbestätigung beim Pförtner des Ministerratsgebäudes der DDR abgegeben werden konnte, sowie

Aus dem ‚Zusatzprotokoll', Teil „II: Zu Artikel 7: 1. Der Handel zwischen der Bundesrepublik Deutschland und der Deutschen Demokratischen Republik wird auf der Grundlage der bestehenden Abkommen entwickelt."

„Erklärungen zu Protokoll.

Die Bundesrepublik Deutschland erklärt zu Protokoll: ‚Staatsangehörigkeitsfragen sind durch den Vertrag nicht geregelt worden.'

Die DDR erklärt zu Protokoll: ‚Die DDR geht davon aus, daß der Vertrag eine Regelung der Staatsangehörigkeitsfragen erleichtern wird.'"

Presse- und Informationsamt der Bundesregierung (Hgb.): Jahresbericht der Bundesregierung 1972, Bonn 1973, S. 15—18, 21

V. Konsequenzen aus dem Vorrang des Friedens

Für den ostpolitischen Kurswechsel seit Herbst 1969 war der „Begriff der Nation" wesentlich geworden. Bundeskanzler Brandt hatte ihn als Angelpunkt seiner Konzeption verwandt, da er ihn sowohl bei realpolitisch argumentierenden Anhängern der parlamentarischen Opposition (64: W. Besson) als auch bei der SED (1, 43, 62) voraussetzte. Deshalb betonte er ihn in seinen regierungsamtlichen Äußerungen (65, 68) sowie bei den Vertragsabschlüssen (79). Spätestens seit Abschluß des Berlin-Abkommens (87) war jedoch deutlich geworden, daß die SED verstärkt eine Politik der „Abgrenzung" betrieb (90). Sollte die Formel von den „beiden *deutschen* Staaten" keine Rolle mehr spielen (96)?

Die parlamentarische Opposition in der Bundesrepublik Deutschland befürchtete, daß der Grundlagenvertrag (97) innerhalb und außerhalb des Staates als Verzicht auf das nationale Verständnis der überwiegenden Mehrheit des Parlamentarischen Rates gedeutet werden könnte (vgl. 94 f.) oder sogar nur so interpretiert werden mußte. Deshalb beantragte die Bayerische Staatsregierung am 28. Mai 1973 beim Bundesverfassungsgericht ein Normenkontrollverfahren mit dem Ziel, den Grundlagenvertrag als „mit dem Grundgesetz nicht vereinbar und deshalb nichtig" erklären zu lassen. Das Bundesverfassungsgericht entschied zwar gegen diese Rechtsauffassung, schrieb jedoch im einstimmig ergangenen Urteil eine bestimmte Auslegung des Grundvertrags vor (101).

Zur Beurteilung der Gerichts-Entscheidung werden regierungsamtliche Äußerungen zitiert (98–100); ebenfalls ist auf fachwissenschaftliche Stellungnahmen von Beratern der SPD-F.D.P.-Bundesregierungen hinzuweisen (102; vgl. S. 11, Anm. 2!). Entscheidungen der DDR und Begründungen der SED-Führung (103–104), verdeutlichen die Problematik jeder „Deutschland-Politik" Mitte der 70er Jahre.

Nation – Wiedervereinigungsgebot

Der Begriff der Nation in Bundeskanzler Brandts „Bericht zur Lage der Nation" vor dem Deutschen Bundestag am 14. Januar 1970 (vgl. 67):

98 „25 Jahre nach der bedingungslosen Kapitulation des Hitler-Reiches bildet der Begriff der Nation das Band um das gespaltene Deutschland. Im Begriff der Nation sind geschichtliche Wirklichkeit und politischer Wille vereint. Nation umfaßt und bedeutet mehr als gemeinsame Sprache und Kultur, als Staat und Gesellschaftsordnung. Die Nation gründet sich auf das fortdauernde Zusammengehörigkeitsgefühl der Menschen eines Volkes.

Niemand kann leugnen, daß es in diesem Sinne eine deutsche Nation gibt und geben wird, soweit wir vorauszudenken vermögen. Im übrigen: auch oder, wenn man so will, selbst die DDR bekennt sich in ihrer Verfassung als Teil dieser deutschen Nation."

Sonderdruck aus dem „Bulletin" des Presse- und Informationsamtes der Bundesregierung, Bonn, Nr. 5/1970

Aus der Erklärung des Bundesministers Bahr bei der Unterzeichnung des Grundlagenvertrags am 21. Dezember 1972 im Haus des Ministerrats der DDR:

99 „Der Vertrag, der heute unterzeichnet worden ist, ist die Grundlage für das Verhältnis der beiden deutschen Staaten. Er ist das Fundament, auf dem das Gebäude ihrer Beziehungen wachsen soll, zum Wohle der Menschen.

Er trägt der völkerrechtlichen Situation in der Mitte Europas Rechnung, in der es zwei Staaten gibt, die sich deutsch nennen. Diese beiden deutschen Staaten, die sich aus den Trümmern des Reiches entwickelt haben, gehören verschiedenen Gesellschaftssystemen, verschiedenen Bündnissen an und haben grundsätzliche Meinungsunterschiede in vielen Fragen. Dennoch teilen sie mit diesem Vertrag den Willen zum Frieden, den Verzicht auf Gewalt, die Achtung der Ziele und Grundsätze der Charta der Vereinten Nationen, die Gleichberechtigung beider Staaten und ihre Selbständigkeit in inneren wie äußeren Angelegenheiten. Sie schaffen damit die Voraussetzungen gutnachbarlicher Beziehungen der Zusammenarbeit des friedlichen Nebeneinanders, die zu einem Miteinander führen sollen. Diese konstruktiven Ziele im Interesse der Menschen, im Interesse aller europäischen Staaten an der Sicherung des Friedens, sollen Vorrang haben vor ihren unterschiedlichen Zielen, sogar in der nationalen Frage."

Bundesministerium für innerdeutsche Beziehungen (Hgb.): Texte zur Deutschlandpolitik. Bd. 11 (2. Juni 1972 — 22. Dezember 1972), Bonn 1973, S. 380

Aus der Erklärung des Bundeskanzlers Brandt zur Unterzeichnung des Grundlagenvertrags über die Funk- und Fernsehsender der Bundesrepublik Deutschland einschließlich West-Berlin am 21. Dezember 1972:

100 „Dies bedeutet eine wichtige Etappe in dem Prozeß der Normalisierung, um den wir uns seit mehreren Jahren bemühen. Der Vertrag wird nicht, jedenfalls nicht über Nacht, die Last von uns Deutschen nehmen, die wir als ein Ergebnis des Zweiten Weltkrieges und der Spaltung Europas tragen. Er räumt nicht auf einmal die Barrieren fort, die uns voneinander trennen, aber er öffnet doch Wege, die lange verschlossen waren.

Die Beseitigung von Mauer und Stacheldraht, die wünschenswerte Freizügigkeit, dies und manches andere bringt der Vertrag nicht.

Um all dies werden wir uns weiter zu bemühen haben, hartnäckig und mit Geduld.

Jeder Fortschritt in dieser Richtung rechtfertigt es, Illusionen hinter uns zu lassen. Er bekräftigt die Einsicht, aus der wir handeln, und er belohnt die Vernunft, von der wir uns bestimmen lassen. Nur so können wir in der heute gegebenen Lage die Nation bewahren.

In den größeren Zusammenschlüssen des Westens und des Ostens in Europa, in denen die beiden deutschen Staaten in fast einem Vierteljahrhundert ihr Gepräge gefunden haben, gewinnen wir — wie ich hoffe — die geistige Freiheit, zu bewahren, was uns gemeinsam ist und bleibt: unsere Sprache, unsere kulturelle Existenz, die so tief in die politische und soziale verflochten ist, und doch auch unsere Geschichte — unsere Geschichte, die uns auffordert, zwischen den guten und schlechten Wegen zu wählen, zwischen Vernunft und Irrtum zu unterscheiden.

Es kann nicht unsere Absicht sein, die ideologischen Differenzen zur DDR zu verschweigen oder zu verniedlichen; die sind fundamental und werden es nach menschlichem Ermessen bleiben.

Aber auch dort, wo Konflikten, die wir nicht suchen, nicht auszuweichen ist, gilt die Notwendigkeit des gesicherten Friedens, denn dazu gibt es keine vernünftige Alternative.

Für diesen Frieden, der Voraussetzung aller Menschlichkeit ist, haben wir den Vertrag geschlossen. Er soll die tiefen Gräben überwinden helfen zwischen den beiden deutschen Staaten und ihren Menschen, und so kann dieser Vertrag auch zu einem Brückenschlag werden zwischen Europa und Europa."

Bundesministerium für innerdeutsche Beziehungen (Hgb.): Texte . . . Bd. 11, S. 388 f.

Aus dem „Urteil des Bundesverfassungsgerichts — Zweiter Senat" — „in dem Verfahren zur verfassungsrechtlichen Prüfung des Gesetzes zum Vertrag vom 21. Dezember 1972" zwischen der Bundesrepublik Deutschland und der DDR (97), verkündet am 31. Juli 1973 (Az. — 2 BvF 1/73 —):

101 „Das Gesetz zu dem Vertrag... ist in der sich aus den Gründen ergebenden Auslegung mit dem Grundgesetz vereinbar..."

Leitsätze:

1. Art. 59 Abs. 2 GG verlangt für alle Verträge, die die politischen Beziehungen des Bundes regeln oder sich auf Gegenstände der Bundesgesetzgebung beziehen, die parlamentarische Kontrolle in der Form des Zustimmungsgesetzes, gleichgültig, ob der als Vertragspartner beteiligte Staat nach dem Recht des Grundgesetzes Ausland ist oder nicht.

2. Der Grundsatz des judicial self-restraint zielt darauf ab, den von der Verfassung für die anderen Verfassungsorgane garantierten Raum freier politischer Gestaltung offenzuhalten.

3. Mit der Entscheidung des Grundgesetzes für eine umfassende Verfassungsgerichtsbarkeit ist es unvereinbar, daß die Exekutive ein beim Bundesverfassungsgericht anhängiges Verfahren überspielt. Ergibt sich, wie in diesem Fall, ausnahmsweise einmal die Lage, in der das Inkrafttreten eines Vertrages vor Abschluß des verfassungsgerichtlichen Verfahrens nach Auffassung der Exekutive unabweisbar geboten erscheint, so haben die dafür verantwortlichen Verfassungsorgane für die sich daraus möglicherweise ergebenden Folgen einzustehen.

4. Aus dem Wiedervereinigungsgebot folgt: Kein Verfassungsorgan der Bundesrepublik Deutschland darf die Wiederherstellung der staatlichen Einheit als politisches Ziel aufgeben, alle Verfassungsorgane sind verpflichtet, in ihrer Politik auf die Erreichung dieses Zieles hinzuwirken — das schließt die Forderung ein, den Wiedervereinigungsanspruch im Inneren wachzuhalten und nach Außen beharrlich zu vertreten — und alles zu unterlassen, was die Wiedervereinigung vereiteln würde.

5. Die Verfassung verbietet, daß die Bundesrepublik Deutschland auf einen Rechtstitel aus dem Grundgesetz verzichtet, mittels dessen sie in Richtung auf Verwirklichung der Wiedervereinigung und der Selbstbestimmung wirken kann, oder einen mit dem Grundgesetz unvereinbaren Rechtstitel schafft oder sich an der Begründung eines solchen Rechtstitels beteiligt, der ihr bei ihrem Streben nach diesem Ziel entgegengehalten werden kann.

6. Der Vertrag hat einen Doppelcharakter; er ist seiner Art nach ein völkerrechtlicher Vertrag, seinem spezifischen Inhalt nach ein Vertrag, der vor allem inter-se-Beziehungen regelt.

7. Art. 23 GG verbietet, daß sich die Bundesregierung vertraglich in eine Abhängigkeit begibt, nach der sie rechtlich nicht mehr allein, sondern nur noch im Einverständnis mit dem Vertragspartner die Aufnahme anderer Teile Deutschlands verwirklichen kann.

8. Art. 16 GG geht davon aus, daß die ,deutsche Staatsangehörigkeit', die auch in Art. 116 Abs. 1 GG in Bezug genommen wird, zugleich die Staatsangehörigkeit der Bundesrepublik Deutschland ist. Deutscher Staatsangehöriger im Sinne des Grundgesetzes ist also nicht nur der Bürger der Bundesrepublik Deutschland.

9. Ein Deutscher hat, wann immer er in den Schutzbereich der staatlichen Ordnung der Bundesrepublik Deutschland gelangt, einen Anspruch auf den vollen Schutz der Gerichte der Bundesrepublik Deutschland und aller Garantien der Grundrechte des Grundgesetzes."

Aus den Gründen:

„B. III. Der Vertrag regelt die *Grundlagen* der Beziehungen zwischen der Bundesrepublik Deutschland und der Deutschen Demokratischen Republik. Seine Beurteilung macht es erforderlich, sich mit den Aussagen des Grundgesetzes über den Rechtsstatus Deutschlands auseinanderzusetzen:

1. Das Grundgesetz — nicht nur eine These der Völkerrechtslehre und der Staatsrechtslehre! — geht davon aus, daß das Deutsche Reich den Zusammenbruch 1945 überdauert hat und weder mit der Kapitulation noch durch Ausübung fremder Staatsgewalt in Deutschland durch die alliierten Okkupationsmächte noch später untergegangen ist; das ergibt sich aus der Präambel, aus Art. 16, Art. 23, Art. 116 und Art. 146 GG. ... Das Deutsche Reich existiert fort..., besitzt nach wie vor Rechtsfähigkeit, ist allerdings als Gesamtstaat mangels Organisation, insbesondere mangels institutionalisierter Organe, selbst nicht handlungsfähig. Im Grundgesetz ist auch die Auffassung vom gesamtdeutschen Staatsvolk und von der gesamtdeutschen Staatsgewalt ‚verankert'... Verantwortung für ‚Deutschland als Ganzes' tragen — auch — die Vier Mächte...

Mit der Errichtung der Bundesrepublik Deutschland wurde nicht ein neuer westdeutscher Staat gegründet, sondern ein Teil Deutschlands neu organisiert (vgl. Carlo Schmid in der 6. Sitzung des Parlamentarischen Rates — StenBer. S. 70). Die Bundesrepublik Deutschland ist also nicht ‚Rechtsnachfolger' des Deutschen Reiches, sondern als Staat identisch mit dem Staat ‚Deutsches Reich', — in bezug auf seine räumliche Ausdehnung allerdings ‚teilidentisch', so daß insoweit die Identität keine Ausschließlichkeit beansprucht. Die Bundesrepublik umfaßt also, was ihr Staatsvolk und ihr Staatsgebiet anlangt, nicht das ganze Deutschland, unbeschadet dessen, daß sie ein einheitliches Staatsvolk des Völkerrechtssubjekts ‚Deutschland' (Deutsches Reich), zu dem die eigene Bevölkerung als untrennbarer Teil gehört, und ein einheitliches Staatsgebiet ‚Deutschland' (Deutsches Reich), zu dem ihr eigenes Staatsgebiet als ebenfalls nicht abtrennbarer Teil gehört, anerkennt. Sie beschränkt staatsrechtlich ihre Hoheitsgewalt auf den ‚Geltungsbereich des Grundgesetzes'..., fühlt sich aber auch verantwortlich für das ganze Deutschland (vgl. Präambel des Grundgesetzes). Derzeit besteht die Bundesrepublik aus den in Art. 23 GG genannten Ländern, einschließlich Berlin; der Status des Landes Berlin der Bundesrepublik Deutschland ist nur gemindert und belastet durch den sog. Vorbehalt der Gouverneure der Westmächte... Die Deutsche Demokratische Republik gehört zu Deutschland und kann im Verhältnis zur Bundesrepublik Deutschland nicht als Ausland angesehen werden... Deshalb war z. B. der

Interzonenhandel und ist der ihm entsprechende innerdeutsche Handel nicht Außenhandel..."

„2. ... Die klare Rechtsposition jeder Regierung der Bundesrepublik Deutschland ist: Wir haben von der im Grundgesetz vorausgesetzten, in ihm ,verankerten' Existenz Gesamtdeutschlands mit einem deutschen (Gesamt-)Staatsvolk und einer (gesamt-)deutschen Staatsgewalt auszugehen. Wenn heute von der ,deutschen Nation' gesprochen wird, die eine Klammer für Gesamtdeutschland sei, so ist dagegen nichts einzuwenden, wenn darunter auch ein Synonym für das ,deutsche Staatsvolk' verstanden wird, an jener Rechtsposition also festgehalten wird und nur aus politischen Rücksichten eine andere Formel verwandt wird. Versteckte sich dagegen hinter dieser neuen Formel ,deutsche Nation' *nur* noch der Begriff einer im Bewußtsein der Bevölkerung vorhandenen Sprach- und Kultureinheit, dann wäre das *rechtlich* die Aufgabe einer unverzichtbaren Rechtsposition. Letzteres stünde in Widerspruch zum Gebot der Wiedervereinigung als Ziel, das von der Bundesregierung mit allen erlaubten Mitteln anzustreben ist."

„V. 1. ... Die ,nationale Frage' ist für die Bundesrepublik Deutschland konkreter das Wiedervereinigungsgebot des Grundgesetzes, das auf die ,Wahrung der staatlichen Einheit des deutschen Volkes' geht. Die Präambel [des Grundlagenvertrags], so gelesen, ist ein entscheidender Satz zur Auslegung des ganzen Vertrags: Er steht mit dem grundgesetzlichen Wiedervereinigungsgebot nicht in Widerspruch. Die Bundesregierung verliert durch den Vertrag nicht den Rechtstitel, überall im internationalen Verkehr, auch gegenüber der Deutschen Demokratischen Republik, nach wie vor die staatliche Einheit des deutschen Volkes im Wege seiner freien Selbstbestimmung fordern zu können und in ihrer Politik dieses Ziel mit friedlichen Mitteln und in Übereinstimmung mit den allgemeinen Grundsätzen des Völkerrechts anzustreben. Der Vertrag ist kein Teilungsvertrag, sondern ein Vertrag, der weder heute noch für die Zukunft ausschließt, daß die Bundesregierung jederzeit alles ihr Mögliche dafür tut, daß das deutsche Volk seine staatliche Einheit wieder organisieren kann. Er kann ein erster Schritt sein in einem längeren Prozeß..."

„9. a) ... Auch der im Zusatzprotokoll zu Artikel 7 Nr. 1 in Bezug genommene Handel zwischen der Bundesrepublik Deutschland und der Deutschen Demokratischen Republik auf der Grundlage der bestehenden Abkommen darf im Zuge der Fortentwicklung kein Außenhandel werden, d. h. es darf in diesem Bereich keine Zollgrenze vereinbart werden."

„9. b) ... Das Grundrecht aus Art. 5 GG kann unter Berufung auf

den Vertrag auch dann nicht eingeschränkt werden, wenn die andere
Seite mit der Behauptung arbeitet, gewisse Sendungen [in Rundfunk
und Fernsehen] widersprächen dem Inhalt und Geist des Vertrags,
weil sie eine Einmischung in die inneren Angelegenheiten des Ver-
tragspartners seien, und müßten deshalb in Erfüllung der vertraglich
übernommenen Pflicht unterbunden werden."

„e) Schließlich muß klar sein, daß mit dem Vertrag schlechthin unvereinbar ist die gegenwärtige Praxis an der Grenze zwischen der
Bundesrepublik Deutschland und der Deutschen Demokratischen
Republik, also Mauer, Stacheldraht, Todesstreifen und Schießbefehl.
Insoweit gibt der Vertrag eine zusätzliche Rechtsgrundlage dafür
ab, daß die Bundesregierung in Wahrnehmung ihrer grundgesetzlichen Pflicht alles ihr Mögliche tut, um diese unmenschlichen Verhältnisse zu ändern und abzubauen."

Gesamtdeutsches Institut — Bundesanstalt für gesamtdeutsche Aufgaben (Hgb.):
Seminarmaterial Urteil des Bundesverfassungsgerichts vom 31. Juli 1973, Bonn 1973,
S. 3 f., 8—12, 14 f.

Kritischer Rationalismus und zentrale Begriffe der Politik. Im Zusammenhang mit Brandts Kasseler Forderung, einen Grundlagenvertrag zwischen
beiden deutschen Staaten abzuschließen (68), hatte die Bundesregierung
eine Gruppe von Wissenschaftlern beauftragt, einen Vergleich wichtiger
„Lebensbereiche" zwischen beiden Teilen Deutschlands zu erarbeiten.
Peter Christian Ludz leitete die Arbeitsgruppe. Im Sommer 1970 beriet
sie ein politischer Gesprächskreis unter Leitung von Leo Bauer; Anfang
1971 wurden u. a. Wissenschaftsverständnis und „Abgrenzungen" der
Wissenschaftler verdeutlicht:

102 a   „Der kritische Rationalismus [oder, wie manche sagen,
kritische Positivismus, der in empirischer Deskription und
Analyse seine Legitimation findet] trennt Werturteile von Tat-
sachenaussagen. Gleichwohl zielt sein Engagement auf Erkenntnis
wie auf Reform... Eine solche Einstellung steht der grundsätzlich
skeptischen Haltung des kritischen Rationalismus allen Ideologien
gegenüber nicht entgegen. Ideologien werden grundsätzlich als Elemente gesellschaftlicher Realität, als Fakten angesehen. Als solche
müssen sie mit einem entsprechenden methodischen Instrumentarium
untersucht werden. Ein solches Instrumentarium, das beim Vergleich
der beiden deutschen Gesellschaftssysteme eingesetzt werden könnte,
ist bisher noch nicht in befriedigender Form entwickelt worden. Aus
diesem Grund ist im Zuge der vorgelegten Untersuchungen keine
Analyse der politisch-gesellschaftlichen Normen vorgenommen worden... [Noch nicht wurden behandelt u.a.]: die Analyse zentraler
Begriffe der Politik (Nation, Demokratie)..."

Deutscher Bundestag / 6. Wahlperiode: Drucksache VI/1690 — Materialien zum Bericht
zur Lage der Nation 1971. Bonn, 15. Januar 1971, S. XXVI, XXX

Im „Vorwort" zu den „Materialien zum Bericht zur Lage der Nation 1974" betonte der Bundesminister für innerdeutsche Beziehungen, Egon Franke (SPD):

102 b „Bei der Ausführung des von mir erteilten Auftrags war die Kommission frei, ihren eigenen Erkenntnissen und Auffassungen zu folgen, selbst wenn sie sich damit an manchen Stellen zu Auffassungen der Bundesregierung in Gegensatz stellte; und sie war auch frei, Fragen zu behandeln, die in Neuland führen und daher nur ein Diskussionsbeitrag sein können. Das fertige Werk kann daher weder als Ganzes noch in den Einzelheiten als amtliche Stellungnahme der Bundesregierung in Anspruch genommen werden."

Zur Methode der „theoretisch-systematischen Interpretation der ‚Einheit der deutschen Nation' und der verschiedenen Ordnungsvorstellungen, die über Nation und Staat in beiden deutschen Gesellschaften bestehen", äußerte sich 1974 die wissenschaftliche Arbeitsgruppe unter Leitung von Peter Christian Ludz:

102 c „Stärker als in den vorangegangenen ‚Materialien' wurden Begriffe und Merkmale, auf die sich im einzelnen ein Vergleich der beiden Staaten sowie ihrer Gesellschafts- und Wirtschaftsordnungen bezieht, in ihren unterschiedlichen Bedeutungszusammenhängen erfaßt. Das gilt sowohl für Kategorien des geschichtlichen Selbstverständnisses (etwa ‚Nation' und ‚Volk') wie auch für ökonomische Meßbegriffe (etwa ‚Sozialprodukt' und ‚Einkommenskonzentration') oder für Verwaltungsbegriffe (etwa ‚Rente' und ‚Sozialeinkommen'). Unter Experten besitzen diese Begriffe definierte oder wenigstens definierbare Inhalte; daneben aber kommt ihnen eine politische und umgangssprachliche Bedeutung zu, die sich häufig nicht mit letzter Genauigkeit beschreiben läßt. Jeder der für den Systemvergleich gewählten Begriffe besitzt also einen Stellenwert in einem wissenschaftlichen Begründungszusammenhang; die Begriffe und spezifischen Merkmale des Systemvergleichs gehören verschiedenen Wissenschaftssprachen an. Aber auch in der politischen und umgangssprachlichen Diskussion haben Begriffe wie ‚Nation' und ‚Volk' oder ‚Einkommensnivellierung' und ‚Rente' ihren Ort in allerdings unscharf umgrenzten und wissenschaftlich bisher kaum erschlossenen Bedeutungszusammenhängen. Beispielsweise erhält die ‚Einkommensnivellierung' in der ökonomischen Darstellung einen fest umschriebenen Sinn; in ihrem einkommenspolitischen oder umgangssprachlichen Bezug verbindet sie sich dagegen mit Postulaten einer ‚gerechten' Einkommensverteilung, die nicht weiter verfolgt oder offengelegt werden können.

Die verschiedenen Bedeutungszusammenhänge, in denen die für den Systemvergleich verwendeten Merkmale und Begriffe stehen, werfen für die Interpretation der gefundenen Systemunterschiede und -gemeinsamkeiten besondere methodische Probleme auf. Diese methodischen Fragen sind nicht schon damit beantwortet, daß die Vergleichbarkeit der verwendeten Begriffe geprüft, Unterschiede der Begriffsverwendung offengelegt und für Vergleichszwecke ausgeglichen werden. Vielmehr ist bei der Bewertung der Ergebnisse auch zu prüfen, ob es gerechtfertigt ist, den Systemvergleich auf die ausgewählten Begriffe und Merkmale zu beschränken; d. h. es ist zu prüfen, inwieweit es zulässig ist, in der Darstellung nach dem Prinzip der isolierenden Abstraktion den Zusammenhang zu vernachlässigen, der den Begriffen durch ihren spezifischen Stellenwert in den jeweiligen Gesellschaftssystemen gegeben ist."

> *Deutscher Bundestag / 7. Wahlperiode: Drucksache 7/2423 — Materialien zum Bericht zur Lage der Nation 1974. Bonn, 29. Juli 1974, S. XV (b), S. XVII, XXI (c)*

Wegen der in 102 b erwähnten grundsätzlichen Meinungsunterschiede wurde für „Kapitel I: Nation" die sonst übliche, vorangestellte Zusammenfassung der Leitsätze nicht veröffentlicht, und die „Materialien" konnten so erst nach dem Rücktritt des Bundeskanzlers Brandt erscheinen. Die Zusammenfassung der Ergebnisse findet sich in: Peter Christian Ludz, Deutschlands doppelte Zukunft. Bundesrepublik und DDR in der Welt von morgen. Ein politischer Essay. (Reihe Hanser 148.) München 1974.

Nachdem Bundeskanzler Helmut Schmidt am 30. Januar 1975 vor dem Deutschen Bundestag erklärt hatte: „Ich für meine Person — das mag mancher altmodisch finden — bin überzeugt, daß sich die Nation auch in Zukunft als ein starkes Element erweisen wird. Aber wir müssen das Unsere dazu tun!" —, polemisierte der Politologe Wilfried von Bredow gegen die „Fetischierung" der historisch längst überholten „Grundgesetzverpflichtung, eine Nation zu sein" (in der Zeitschrift „liberal. Beiträge zur Entwicklung einer freiheitlichen Ordnung", 17. Jg. (1975), H. 6, S. 420—434); seine Forderung lautete: „Die Einheit der Nation: ein Fetisch für die Ängstlichen. Eine Krücke für das Provisorium. Wir brauchen sie nicht."

DDR: sozialistischer Staat der sozialistischen Nation

Aus der „Verfassung der Deutschen Demokratischen Republik vom 6. April 1968 in der Fassung des Gesetzes zur Ergänzung und Änderung der Verfassung . . . vom 7. Oktober 1974" (vgl. 62):

103 „In Fortsetzung der revolutionären Traditionen der deutschen Arbeiterklasse und gestützt auf die Befreiung vom Faschismus hat das Volk der Deutschen Demokratischen Republik

in Übereinstimmung mit den Prozessen der geschichtlichen Entwicklung unserer Epoche
sein Recht auf sozial-ökonomische, staatliche und nationale Selbstbestimmung verwirklicht
und gestaltet die entwickelte sozialistische Gesellschaft.
Erfüllt von dem Willen, seine Geschicke frei zu bestimmen, unbeirrt auch weiter den Weg des Sozialismus und Kommunismus, des Friedens, der Demokratie und Völkerfreundschaft zu gehen,
hat sich das Volk der Deutschen Demokratischen Republik diese sozialistische Verfassung gegeben.
Art. 1. Die Deutsche Demokratische Republik ist ein sozialistischer Staat der Arbeiter und Bauern... Die Hauptstadt der Deutschen Demokratischen Republik ist Berlin...
Art. 6 (1) Die Deutsche Demokratische Republik hat getreu den Interessen des Volkes und den internationalen Verpflichtungen auf ihrem Gebiet den deutschen Militarismus und Nazismus ausgerottet.
Art. 8 (2) [in der Fassung von 1968 ersatzlos gestrichen]."

Ausgabe des Staatsverlags der DDR, Berlin (Ost) 1974, S. 5, 9—13

Die parteiamtliche Begründung der Verfassungsänderung, deren „Wesen darin bestand, die Verfassung mit dem Leben in Einklang zu bringen", bot der „Bericht des Politbüros des ZK der SED", erstattet vom Ersten Sekretär des Zentralkomitees, Erich Honecker. Auf der 13. ZK-Tagung (12.—14. Dezember 1974) erklärte er dabei:

104 „Die Entscheidung der Volkskammer hat einen großen Widerhall in unserem Volk gefunden. Nunmehr verfügt die Deutsche Demokratische Republik über eine Verfassung, die in jeder Beziehung unseren Gegenwarts- und Zukunftsaufgaben entspricht. Mit der Gründung der Deutschen Demokratischen Republik hat das Volk unserer deutschen sozialistischen Republik sein Recht auf soziale, staatliche und nationale Selbständigkeit verwirklicht. Es beschreitet festen Schrittes den Weg des Sozialismus und Kommunismus, des Friedens und der Freundschaft. In unserer Verfassung wurde der Charakter unseres Staates als sozialistischer Staat der Arbeiter und Bauern, als politische Organisation der Werktätigen in Stadt und Land unter Führung der Arbeiterklasse verankert. Das läßt keine Fehldeutungen zu, auf die Dauer gesehen auch bei denen nicht, die trotz der Unterschiedlichkeit der sozialökonomischen Systeme beider deutscher Staaten irgendein nebelhaftes Dach über die Bundesrepublik Deutschland und die Deutsche Demokratische Republik basteln möchten. Der Nebel wird dem Sturm der Zeit jedoch nicht standhalten. Immer klarer treten die Konturen der Existenz von zwei voneinander unabhängigen souveränen deutschen Staaten hervor... Die Entwicklung der Deutschen Demokratischen Republik muß man in ihrem geschichtlichen Zusammenhang sehen. Das gilt auch für die nationale Frage, über die — wie der VIII. Parteitag feststellte — die Geschichte bereits entschieden hat. In diese Frage möchten manche etwas hineindeuten, was nicht hineingehört. Zunächst ist Nation eine historische Kategorie. Sie kann nicht unverändert im geschichtlichen Wandel oder gar im luftleeren Raum betrachtet werden. Nationen entstehen und verändern sich in Abhängigkeit von den konkreten historischen Bedingungen. Man braucht nur die Geschichte der USA zu betrachten, wo sich die Nation erst sehr spät aus verschiedenen Nationalitäten entwickelte. Auch in der jüngsten Geschichte Europas gibt es dafür Beispiele. Man denke nur an Österreich. Wir haben in den sozialen Aspekten der nationalen Frage stets die dominierende Rolle gesehen.

Die westdeutsche Bourgeoisie ist bei der Gründung der Bundesrepublik Deutschland von ihrem Klasseninteresse ausgegangen. Es ging ihr damals, um mit den Worten Adenauers zu sprechen, nicht um die Rettung der Nation und ihrer Einheit, sondern um die Rettung eines sozialen Systems, das auf der Ausbeutung des Menschen durch den Menschen beruht, mit allen Konsequenzen für die Innen- und Außenpolitik. Eine Einheit, die zugleich kapitalistisch und sozialistisch ist, kann es — das wußte man auf beiden Seiten — nicht geben. Nicht umsonst betont man auch gegenwärtig in den regierenden Kreisen der BRD, daß ihre Ostpolitik nur im Zusammenhang mit der festen Verankerung der Bundesrepublik in der atlantischen Gemeinschaft zu verstehen sei.

Uns ging es nach dem 8. Mai 1945 darum, die Chance, die uns die Befreiung vom Faschismus gab, zu nutzen, die Ausbeuterordnung zu beseitigen, unter Führung der Arbeiterklasse und ihrer marxistisch-leninistischen Partei einen neuen Weg zu gehen, den Weg der Demokratie und des Sozialismus. Das ist der Kern der Sache. Da dieser Weg in Westdeutschland versperrt wurde, entwickelt sich in der Deutschen Demokratischen Republik die sozialistische Nation, die sich in allen entscheidenden Merkmalen von der bürgerlichen Nation in der Bundesrepublik Deutschland unterscheidet.

Wir sind im Vergleich zur Bundesrepublik Deutschland schon eine historische Epoche weitergegangen. Wir repräsentieren, um es kurz auszudrücken, im Gegensatz zur Bundesrepublik Deutschland das sozialistische Deutschland.

Dieser Unterschied ist der entscheidende. Unser sozialistischer Staat heißt Deutsche Demokratische Republik, weil ihre Staatsbürger der Nationalität nach in der übergroßen Mehrheit Deutsche sind. Es gibt also keinen Platz für irgendwelche Unklarheiten beim Ausfüllen von Fragebögen, die hier und dort benötigt werden. Die Antwort auf diesbezügliche Fragen lautet schlicht und klar und ohne jede Zweideutigkeiten: Staatsbürgerschaft — DDR, Nationalität — deutsch. So liegen die Dinge.

Als Deutsche haben wir Anteil an der deutschen Geschichte, wie wir als Europäer Anteil an der europäischen Geschichte haben. Ja, wir bekennen uns ganz entschieden zu ihren fortschrittlichen Entwicklungslinien, zu den Traditionen des Humanismus und der revolutionären Arbeiterbewegung. Sie sind bei uns gut aufgehoben, werden gepflegt und in unserer gesellschaftlichen Praxis weiterentwickelt. So ist die Deutsche Demokratische Republik in der Tat das Werk vieler Generationen. Doch die Geschichte geht weiter, wir haben den Schritt von der bürgerlichen Nation zur sozialistischen Nation getan. In der geschichtlichen Kontinuität hat hier eine qualitative Veränderung stattgefunden...

In unserem sozialistischen deutschen Staat ist selbstverständlich kein Platz für Deutschtümelei. Sie würde gewollt oder ungewollt denen in die Hände arbeiten, die für die reaktionärste Variante deutscher Politik die Tore offenhalten wollen...

Dieser sozialistische Patriotismus steht im Einklang mit dem proletarischen Internationalismus... Schon Karl Marx und Friedrich Engels haben im ,Kommunistischen Manifest' betont: ,Die Kommunisten unterscheiden sich von den übrigen proletarischen Parteien nur dadurch, daß sie einerseits in den verschiedenen nationalen Kämpfen der Proletarier die gemeinsamen, von der Nationalität unabhängigen Interessen des gesamten Proletariats hervorheben und zur Geltung bringen, andererseits dadurch, daß sie in den verschiedenen Entwicklungsstufen, welche der Kampf zwischen Proletariat und Bourgeoisie durchläuft, stets das Interesse der Gesamtbewegung vertreten.'..."

Nach dem „Neuen Deutschland", 13. Dezember 1974, wiedergegeben in: „Deutschland Archiv. Zeitschrift für Fragen der DDR und der Deutschlandpolitik", 8. Jg. (1975), H. 1, S. 92—94

Parallel zur eindeutigen „Abgrenzung der sozialistischen Nation der DDR von der kapitalistischen Nation der BRD" wurde „erstmalig in einem Vertrag zwischen sozialistischen Staaten der objektive Prozeß der Annäherung der sozialistischen Nationen vertraglich fixiert" (lt. Mitglied des Politbüros und Sekretär des ZK der SED Hermann Axen, „Die Herausbildung der sozialistischen Nation in der Deutschen Demokratischen Republik", in: „Probleme des Friedens und des Sozialismus. Zeitschrift der kommunistischen und Arbeiterparteien", 19. Jg. (1976), Nr. 3 (21) März, S. 291, 298). Weil der Grundsatz des Sozialistischen

Internationalismus jetzt als entscheidend angesehen wurde, geschah dies im vorzeitig erneuerten Beistandsvertrag UdSSR — DDR vom 7. Oktober 1975 (gültig bis 7. Oktober 2000, vgl. D 100); in ihm wurde besonders die Berlin-Position verdeutlicht.

Sozialistische Länder: „Kampf gegen revanchistische Positionen"

Nachdem die Schlußakte der Konferenz über Sicherheit und Zusammenarbeit in Europa (KSZE) am 1. August 1975 in Helsinki unterzeichnet worden war (s. W II), haben besonders die Regierungen der UdSSR und der DDR ihren Kampf für „die Umsetzung der Prinzipien der Schlußakte in die Praxis der zwischenstaatlichen Beziehungen" verstärkt. Als wesentliches Hindernis wurde herausgestellt, daß „alle Parteien des Bundestages der BRD ... im Prinzip an der revanchistischen ‚Wiedervereinigungskonzeption'" festhielten (H. Axen, a. a. O., S. 298 f.). Formulierungs- und Bezeichnungs-Veränderungen auf den unterschiedlichsten Ebenen der Deutschland-Politik von UdSSR und DDR seit 1968/69 erscheinen spätestens seit 1975 als systematisch angelegter und folgerichtig verwirklichter Aufbau einer neuen Position.

Ihr „Hauptnenner" läßt sich erfassen, wenn man sich vergegenwärtigt, daß der Staatsname und Groß-Berlin die entscheidenden Ansprüche der Staatsorganisation Bundesrepublik Deutschland ausdrücken. Allerdings fragt sich, wie ernsthaft diese Politik tatsächlich sein kann, solange DDR und der gesamte Rat für gegenseitige Wirtschaftshilfe (RGW) von den Sonderregelungen des innerdeutschen Handels profitieren (105 a, vgl. 42 a)?

Wer bestimmt den Staatsnamen der Bundesrepublik Deutschland? (vgl. 61):

105 a „Die Sowjetunion hat in einer Note an UNO-Generalsekretär Waldheim gegen die russische Übersetzung des Namens der Bundesrepublik Deutschland in einem UNO-Dokument protestiert. In dieser Übersetzung war der Name im Sinne Bonns korrekt wiedergegeben worden, nämlich mit ‚Bundesrepublik Deutschland' ... Die Sowjetunion spricht dagegen seit Jahren von der ‚Bundesrepublik Deutschlands' ... — eine Bezeichnung, die ... Eingang in russische Übersetzungen von Dokumenten gefunden hat, die von der Sowjetunion und der Bundesrepublik unterschrieben wurden ..."

dpa-Meldung aus New York, „Süddeutsche Zeitung", 14. Juni 1975, S. 6

— Zur Reaktion der Bundesregierung vgl. FAZ, 29. Juli 1975, S. 4!

132

Aus einer Analyse „des Strebens imperialistischer Kräfte nach ‚Einigung' Westeuropas":

105 b „Die BRD wiederum setzte [1956] durch, daß die EGKS-Staaten [Europäische Gemeinschaft für Kohle und Stahl / Montanunion] die Alleinvertretungsanmaßung der BRD akzeptierten. Der Handel zwischen der BRD und der DDR wurde als ‚innerdeutscher Handel' deklariert... Am 7. November 1974... einigte sich der ‚Ministerrat' [der EWG] darüber, die gemeinsame Handelspolitik auch gegenüber der DDR durchzuführen, für den Handel zwischen der BRD und der DDR aber das Protokoll von 1957 weiter anzuwenden."

J. Dankert / W. Ersil / K.-H. Werner: Politik in Westeuropa. Integrationsprozesse vom Ende des zweiten Weltkrieges bis zur Gegenwart. Hgb. vom Institut für Internationale Beziehungen an der Akademie für Staats- und Rechtswissenschaft der DDR, Potsdam-Babelsberg, VEB Deutscher Verlag der Wissenschaften, Berlin 1976, S. 177, 446.

Der Deutschland-Begriff der UdSSR und der SED

106 a „Das Karlsruher Urteil [1973: 101] störte auch den Moskauer Sender ‚Frieden und Fortschritt', den das SED-Parteiblatt ‚Neues Deutschland' zitierte: ‚Da gibt es Behauptungen hinsichtlich der Existenz eines Deutschlands, welche den Eindruck erwecken sollen, als ob dieses Subjekt des Völkerrechts noch existiere und die BRD in seinem Namen spreche, sowie Erwägungen über die Selbstbestimmung und über die Geschichte, die noch ein Wort zur Existenz zweier deutscher Staaten sprechen werde, und vieles andere.'

Daß ‚Deutschland' tatsächlich kein reines Phantom ist, geht nicht nur aus Karlsruher, sondern auch aus zeitgenössischen, bis auf den heutigen Tag unveränderten sowjetischen Quellen hervor. Die Russen gehen dabei prinzipiell weiter als das SED-Regime, das bis auf den Namen der Partei [Sozialistische Einheitspartei Deutschlands] und ihres Sprachrohrs [Neues Deutschland] sowie einiger anderer schwer zu veräußernder Relikte ‚Deutschland' aus dem amtlichen Sprachgebrauch eliminiert hat: Seit mehr als 31 Jahren gibt es die ‚Gruppe der Sowjetischen Streitkräfte in Deutschland' (GSSD), wenn Namen einen Sinn haben, muß auch für Moskau ‚Deutschland', im namentlichen Anspruch ausgewiesen, weiterexistieren.

In der ‚DDR' ist — oder war — man sich der Anstößigkeit dieses Namens durchaus bewußt. ... Als die erste sowjetische Gardepanzerdivision vom Einsatz in der ČSSR [21. August 1968 — vgl.

W II] in ihre sächsischen Quartiere zurückkehrte, war von ‚in der DDR stationierten Truppen‘ keine Rede mehr. Fortan — und bis heute — gilt wieder die ‚Gruppe der Sowjetischen Streitkräfte in Deutschland‘ ... Mit dieser Gruppe, vor allem auch durch ihre noch immer geltende Bezeichnung, sichern sich die Sowjets als Siegermacht des Zweiten Weltkriegs Rechte und Verantwortlichkeiten in bezug auf ‚Deutschland‘, und zwar innerhalb der Viermächteverantwortung, die von Moskau (zum Beispiel im Plädoyer für die ‚Hauptstadt der DDR Berlin‘) hartnäckig geleugnet wird ...“

Friedhelm Kemna: „ ‚Deutschland‘ lebt für Moskau weiter“, Die Welt,
15. Oktober 1976, S. 2

106 b „Der Oberkommandierende der Gruppe der auf dem Territorium der DDR stationierten sowjetischen Streitkräfte... übermittelten ... ein in herzlichen Worten gehaltenes Glückwunschschreiben ...“

„Vom 19. Jahrestag der Deutschen Demokratischen Republik. Das Ausland gratuliert
unserer Republik.“ Neues Deutschland, 8. Oktober 1968, S. 4, vgl. S. 1: Glückwünsche
aus aller Welt“

106 c „Grüße zum Nationalfeiertag der Deutschen Demokratischen Republik. [Nr. 2:] Gruppe der Sowjetischen Streitkräfte in Deutschland (GSSD)“

Neues Deutschland, 8. Oktober 1976, S. 5

Die „Berlin-Klausel“ in Verträgen dritter Staaten mit der Bundesrepublik Deutschland. Nachdem sich die UdSSR besonders seit den Moskauer Verhandlungen des Bundeskanzlers Schmidt im Herbst 1974 geweigert hatte, Verträge mit der Bundesrepublik Deutschland abzuschließen, in die ausdrücklich Berlin einbezogen war, wirkte sie auch auf dritte Staaten ein, um sie zu einer entsprechenden Politik zu bewegen.

107 a „Seit Jahrzehnten war in Verträgen mit Österreich und zahlreichen anderen Staaten die Formel ‚Land Berlin‘ verwendet worden. Vor einiger Zeit intervenierte Moskau gegen diese Praxis in Wien und behauptete, eine derartige Bezeichnung widerspreche dem Vier-Mächte-Abkommen [1971: 87] und spiegele einen Anspruch Bonns auf die Vertretung ganz Berlins wider. Da auch West-Berlin kein Bundesland sei, sollte Österreich sich darauf nicht mehr einlassen ... Die österreichische Regierung hat den Begriff ‚Land Berlin‘ aufgrund dieser Demarche seitdem abgelehnt ... Deshalb sind verschiedene, in letzter Zeit auf der

Tagesordnung stehende Verträge zwischen Bonn und Wien liegen-
geblieben... Das Viermächte-Abkommen, so [erklärte der Sprecher des Bonner Auswärtigen Amtes], gebrauche die besatzungsrechtliche Bezeichnung ‚Westsektoren Berlins‘. Im Transitabkom-
men zwischen der Bundesrepublik und der ‚DDR‘, das von den
vier Mächten im Schlußprotokoll zum Viermächte-Abkommen
bestätigt worden sei, würden die ‚Westsektoren Berlins‘ mit ‚Berlin
(West)‘ gleichgesetzt. Seit Abschluß des Viermächte-Abkommens
benutze die Bundesrepublik bei Abkommen mit osteuropäischen
Staaten, mit der Volksrepublik China und Finnland sowie in
multilateralen Abkommen unter Beteiligung von Staaten des Warschauer Paktes in der Berlin-Klausel den Begriff ‚Berlin (West)‘.
Sie sei nach alliiertem Recht und dem Viermächte-Abkommen
frei, die eine oder andere Bezeichnung zu wählen..."

Bernt Conrad: „An ‚Berlin‘ scheitern Verträge mit Wien." Die Welt, 30. Oktober 1976

107 b „Österreich ist weiterhin bereit, in seinen Verträgen mit
der Bundesrepublik Deutschland den Anwendungsbereich
auch auf die Westsektoren von Berlin auszudehnen und im Ver-
tragstext die schon seit langem in deutsch-österreichischen Abkommen gültige Formulierung ‚gültig auch für das Land Berlin‘,
also die sogenannte Bonner Berlin-Klausel, zu akzeptieren — allerdings in Verbindung mit neuen, einschränkenden Erläuterungen
zum Begriff ‚Land Berlin‘. Das ist dem Bundesgesetzblatt der Republik Österreich vom 31. Januar 1977 zu entnehmen... Die Erläuterungen legen fest, daß West-Berlin kein Bundesland der Bundesrepublik Deutschland sei und mit dem Begriff ‚Land Berlin‘
nur die Westsektoren Berlins gemeint seien."

Hanni Konitzer: „Wiens Standpunkt zur ‚Berlin-Klausel‘ ", FAZ 4. Februar 1977

Der Name der Hauptstadt der DDR — Bezeichnung von Institutionen:

108 a „Unter Leitung von Oberbürgermeister Erhard Krack besucht eine Delegation des Magistrats von Groß-Berlin bis
zum 9. September Oslo..."

„Neues Deutschland", 8. September 1976, S. 8: „Aus der Hauptstadt"

108 b „Die Stadtverordnetenversammlung von Groß-Berlin be-
faßte sich gestern nachmittag..."

Alfred Wagner/Hans-Jürgen Renneisen: „Erfolgreicher Start in Berlins Volkswirtschaft",
„Berliner Zeitung", 3. März 1977, S. 1

108 c „Als ‚Magistrat von Berlin‘, nicht als der Magistrat von
Groß-Berlin, hat am Wochenende erstmals die Ost-Berliner Stadtverwaltung neben der SED-Bezirksleitung und dem Be-
zirksausschuß der ‚Nationalen Front‘ einen Zeitungsaufruf an die
Ost-Berliner Bevölkerung unterzeichnet . . .“

Ernst-Otto Maetzke: „Unerwünschtes ‚Groß-Berlin‘ ?“, FAZ 4. April 1977, S. 1

Grundgesetz-Änderung zwecks Normalisierung?

Staats- und Völkerrechtler haben seit 1969/70 über die verfas-
sungspolitischen Folgerungen diskutiert, die sich aus Vorbereitung
und Abschluß der Ostverträge ergeben konnten und mußten.
Selbst Kritiker der kooperativen Ostpolitik hatten „Das Ende der
Bundesrepublik *Deutschland*“ für denkbar gehalten, wenn anstelle
des nicht mehr zu verwirklichenden Ziels ein anderes gesetzt
werde, dessen „eher denkbare Realisation einem geläuterten Na-
tionalempfinden noch erträglich erscheint und unter den Aspekten
der Humanität sogar Züge des Erstrebenswerten anzunehmen
vermag“ — wie es sich bei der Entwicklung des deutsch-österreichischen Verhältnisses im 20. Jahrhundert gezeigt habe (Thomas
Oppermann, in: Internationales Recht und Diplomatie, Jg. 1972,
S. 153—156). 1973 hat die Entscheidung des Bundesverfassungsgerichts (101) die Diskussionslage verändert. Allerdings waren
jetzt ausdrücklich (wieder) alle Verfassungsorgane an ihre Bindung erinnert worden, nicht jedoch hatte solche Bindung ausgesprochen werden können für einzelne Politiker und Parteien. Ist
es deshalb nur noch eine Frage der Zeit und des Generations-
wechsels bei den Abgeordneten, daß im Rahmen einer umfassen-
den Verfassungsreform auch auf die aus der Entstehungssituation
des Bonner Grundgesetzes stammenden Ansprüche auf Deutschland und Groß-Berlin im Text des GG und damit im Namen der
faktisch als Weststaat existierenden Bundesrepublik verzichtet
wird? Stellungnahmen von Publizisten, die der SPD-F.D.P.-Koa-
lition nahestehen, dürften eine derartige, „realistische Wende“
vorbereiten; auch der Wandel der Ost- und Deutschlandpolitik
1969 ist zuvor über ein Jahrzehnt hindurch von Journalisten und
Wissenschaftlern gefordert worden (vgl. 44 ff.). Sollte schließlich
auch jeder Fortschritt in Richtung auf die politische Union Westeuropas diesen Realismus unterstützen? Zu 110 vgl. F. J. Strauß
als Bundesverteidigungsminister 1958, D 69!

Rücksichtnahme auf fundamentale Interessen der DDR wurde in der
Wochenzeitschrift gefordert, die Mitglieder des Parteivorstands der
SPD herausgeben:

109 „Fundamentale Interessen gleichberechtigter Partner werden natürlich auch von der Bundesrepublik berücksichtigt. Doch die volle Gleichberechtigung der DDR wird hier bestritten — nicht nur vom ‚gesamtdeutschen' Bewußtsein, sondern auch vom Grundgesetz. Der Grundlagen-Vertrag [97] geht zwar von der Gleichberechtigung und der Souveränität der DDR, damit auch von der Nichteinmischung aus. Doch das spätere Urteil von Karlsruhe legt Einmischung zumindest moralisch nahe — weil die DDR im Prinzip zu Gesamtdeutschland gehöre.

Dieses Urteil, das das 1949 noch aktuelle, realpolitisch jedoch heute überholte Wiedervereinigungsgebot extensiv auslegt, hat die durch den Grundlagenvertrag erzielte Lage aus der Sicht der DDR im Prinzip verschlechtert. Sie glaubt heute, vor einer ‚Doppelstrategie' der Bundesrepublik zu stehen: Nach außen gelten Grundlagenvertrag und Souveränität der DDR, nach innen aber werde sie gern als ‚ein anderer Teil Deutschlands' behandelt — so kürzlich das Bundesverwaltungsgericht —, gleichsam mit gepreßter Souveränität und mit Grenzen, die als ‚vorläufig' (Dregger) gelten und auch so behandelt würden..."

Walter Leo: „Beziehungen zur DDR nicht ‚normalisiert'. Ost-Berlin reagiert empfindlich auf den kleinsten Anschein von Einmischung." Vorwärts, 10. Februar 1977, S. 2

Aus einer Analyse deutschlandpolitischer Möglichkeiten im Zusammenhang mit dem europäischen Kräfteverhältnis und der Interessenlage der Großmächte für die öffentliche Anhörung des Bundestagsausschusses für innerdeutsche Beziehungen am 26. und 28. September 1977 — der Verfasser Ralf Dahrendorf war 1969/70 Parlamentarischer Staatssekretär des Auswärtigen Amtes, bis 1974 Kommissar der Europäischen Gemeinschaften in Brüssel, seitdem Direktor der London School of Economics:

110 „Eine Deutschlandpolitik [der Bundesrepublik Deutschland], die von Nachbarn und Alliierten nicht nur Lippenbekenntnisse verlangt, sondern den Weg zur Wiedervereinigung selbst unterstützt sehen will, wird auf erbitterten Widerstand stoßen...

Deutschlandpolitik und Europapolitik sind nur unter Umständen vereinbar, die selten angesprochen werden: nämlich wenn entweder die Deutschland-Politik der Österreich-Lösung zuneigt oder die Europapolitik auf intergouvernementale Bindungen zielt."

Heinz Vielain: Deutschland-Politik à la Dahrendorf, „Die Welt", 17. September 1977, S. 1, vgl. Deutscher Bundestag, Presse- und Informationszentrum (Hgb.): Deutschlandpolitik. Öffentliche Anhörungen des Ausschusses für innerdeutsche Beziehungen des Deutschen Bundestages 1977. (Zur Sache 4/77), Bonn 1977. — Zitate dort S. 18 bis 20, 47, 63 ff.

Literaturhinweise

Dokumentationen

Hans-Adolf Jacobsen — Wilfried v. Bredow (Hgb.): Mißtrauische Nachbarn. Deutsche Ostpolitik 1919/1970. Dokumentation und Analyse, Düsseldorf 1970. — Die Belege für die Zitate in den Einleitungen der einzelnen Kapitel finden sich nur in *Hans-Adolf Jacobsen:* Konzeptionen deutscher Ostpolitik 1919—1970. Eine Skizze. „aus politik und zeitgeschichte. Beilage zur wochenzeitung das parlament" B 49/70 v. 5. Dezember 1970, S. 3—28

K. G. Wernicke — H. Booms — W. Vogel (Hgb.): Der Parlamentarische Rat 1948—1949. Akten und Protokolle. Bd. 1: Vorgeschichte (Bearb.: J. V. Wagner), Boppard am Rhein 1975.

Ingo v. Münch (Hgb.): Ostverträge I (Deutsch-sowjetische Verträge), Ostverträge II (Deutsch-polnische Verträge), Reihe „Aktuelle Dokumente", Berlin/New York 1971

Auswärtiges Amt (Hgb.): Die Auswärtige Politik der Bundesrepublik Deutschland. Köln 1972

Kurt P. Tudyka (Hgb.): Das geteilte Deutschland. Eine Dokumentation der Meinungen [1947—1962], Stuttgart/Köln/Mainz 1965

Boris Meissner (Hgb.): Die deutsche Ostpolitik 1961—1970. Kontinuität und Wandel. Dokumentation. Köln 1970

Bundesministerium für Gesamtdeutsche Fragen, Bonn/Berlin (Hgb.): Dokumente zur Deutschlandpolitik. Frankfurt a. M./Berlin 1961 ff. — Umfassend konzipierte Sammlung

Heinrich von Siegler (Hgb.): Dokumentation zur Deutschlandfrage, Bd. I bis X sowie Annexband (Verträge), Bonn/Wien/Zürich ² 1961, 1966—1977

Bundesministerium für Gesamtdeutsche Fragen [seit 1967:] *für innerdeutsche Beziehungen* (Hgb.): Texte zur Deutschlandpolitik, Reihe I, Bd. 1—12 (1966—1973), Bonn/Berlin 1967—1975; Reihe II, Bd. 1—3 (1973—1975), Bonn 1975 bis 1976.

Regierungs- und parteioffizielle Broschüren 1970/71

Presse- und Informationsamt der Bundesregierung (Hgb.): Die Verträge der Bundesrepublik Deutschland mit der Union der Sozialistischen Sowjetrepubliken vom 12. August 1970 und mit der Volksrepublik Polen vom 7. Dezember 1970, Bonn 1971 — Das Vier-Mächte-Abkommen über Berlin vom 3. September 1971, Bonn 1971 — Ergänzende Vereinbarungen zum Viermächte-Abkommen über Berlin, Bonn 1971.

Vorstand der SPD (Hgb.): Ost- und Deutschlandpolitik. Der deutschsowjetische Vertrag. Heft 1 „Reihe Außenpolitik", Bonn 1970

Bundesgeschäftsstelle der CDU (Hgb.): Dokumentation zum Vertrag vom 12. August 1970... im Rahmen der sowjetischen Deutschland- und Europapolitik seit 1970, Bonn 1970

FDP-Bundestagsfraktion (Hgb.): Stichworte zur Bundespolitik, Bd. I (1969—1970), Reihe „FDP im 6. Deutschen Bundestag", Bonn 1970

Memoiren

Konrad Adenauer: Erinnerungen, Bd. I—III (I: 1945—1953, II: 1953 bis 1955, III: 1955—1959) — auch in der Fischer-Bücherei. — Vgl. Besprechungen: *Hans-Peter Schwarz,* in: Politische Vierteljahresschrift, IV (1965), S. 497 f.; IX (1968), S. 82 f. — *Ernst Deuerlein,* in: Frankfurter Hefte (FH), XXI (1966), S. 390 f.; XXII (1967), S. 95 f. — *Günter Benser,* in: Zeitschrift für Geschichtswissenschaft (Berlin-Ost), XIV (1966), S. 1199 f.

Ferdinand Friedensburg: Es ging um Deutschlands Einheit, Berlin 1971

Darstellungen und Untersuchungen

Waldemar Besson: Die Außenpolitik der Bundesrepublik. Erfahrungen und Maßstäbe, München 1970

Alfred Jüttner: Die deutsche Frage. Eine Bestandsaufnahme, Köln/Berlin/Bonn 1971

Wolfram F. Hanrieder: Die stabile Krise. Ziele und Entscheidungen der bundesrepublikanischen Außenpolitik 1949—1969, dt. Düsseldorf 1971

Rudolf Morsey — Konrad Repgen (Hgb.): Adenauer Studien Bd. 1, Veröffentlichungen der Kommission für Zeitgeschichte der Katholischen Akademie in Bayern, Reihe B, Bd. 19, Mainz 1971

Klaus Erdmenger: Das folgenschwere Mißverständnis. Bonn und die sowjetische Deutschlandpolitik 1949—1955, Freiburg i. Br. 1967

Georg Bluhm: Die Oder-Neiße-Linie in der deutschen Außenpolitik, Freiburg i. Br. 1963. — *Ders.:* Die Oder-Neiße-Frage, Hannover 1967

U. Scheuner u. a.: Außenpolitische Perspektiven des westdeutschen Staates. Bd. 1: Das Ende des Provisoriums; Bd. 2: Das Vordringen neuer Kräfte. — *R. Löwenthal u. a.:* Bd. 3: Der Zwang zur Partnerschaft. (= Bd. 30/1—3 der Schriften des Forschungsinstituts der Deutschen Gesellschaft für Auswärtige Politik) München-Wien 1971—1972

R. Roth: Außenpolitische Innovation und politische Herrschaftssicherung. Eine Analyse von Struktur und Systemfunktion des außenpolitischen Entscheidungsprozesses am Beispiel der sozialliberalen Koalition 1969 bis 1973. (= Bd. 14 der Studien zum politischen System der Bundesrepublik Deutschland) Meisenheim am Glan 1976

J. Gabbe: Parteien und Nation. Zur Rolle des Nationalbewußtseins für die politischen Grundorientierungen der Parteien in der Anfangsphase der Bundesrepublik. (= Bd. 15 der Studien zum politischen System der Bundesrepublik Deutschland) Meisenheim am Glan 1976

K. Niclauß: Kontroverse Deutschlandpolitik. Die politische Auseinandersetzung in der Bundesrepublik Deutschland über den Grundlagenvertrag mit der DDR. (= Bd. 3 der Beihefte zu „Dokumente zur Deutschlandpolitik"). Hgb. vom Bundesministerium für innerdeutsche Beziehungen, Frankfurt a. M. 1977.

Politische Stellungnahmen und Erörterungen

Peter Bender: Zehn Gründe für die Anerkennung der DDR. Fischer-Bücherei Bd. 951, Frankfurt a. M. 1968

Erich Müller-Gangloff: Vom gespaltenen zum doppelten Europa. Acht Thesen zur deutschen Ostpolitik. Stuttgart 1970

Hans Graf Huyn (Hgb.): Ostpolitik im Kreuzfeuer. Stuttgart 1971 — Sammlung oppositioneller Stellungnahmen

A. Kosing: Nation in Geschichte und Gegenwart. Studie zur historisch-materialistischen Theorie der Nation. Berlin/DDR 1976

Fortlaufende Dokumentationen des Zeitgeschehens bieten „Archiv der Gegenwart" (AdG), früher: „Keesings Archiv d. G."; „Europa-Archiv" (EA); „Weltgeschehen", vierteljährlich (nach EA und AdG), seit 1964; „Meyers Jahreslexikon", jährlich, Mannheim seit 1963/64

Zeitschriften, die auch über neue Veröffentlichungen unterrichten: EA, „Deutschland-Archiv" (DA), „Neue Politische Literatur" (NPL), „Zeitschrift für Politik" (ZfPol) und „Politische Vierteljahresschrift" (PVS)

Für weitere Materialien und Hinweise vgl. *Heinrich Bodensieck:* Unterrichtsmodell Wandel der westdeutschen Ostpolitik 1970. Die Auseinandersetzung um den Moskauer Vertrag der Bundesrepublik Deutschland mit der UdSSR, in: „Politische Bildung", Jg. 4 (1971), Heft 2 (Zur Außenpolitik der Bundesrepublik Deutschland), S. 64—80, sowie „Materialien für den Unterricht", M. 1—M 16 (2. Aufl. 1976).